Présentation

M<small>A MÈRE</small> savait confectionner de magnifiques couvre-lits avec des retailles de tissus qu'elle mettait de côté lorsqu'elle cousait les vêtements de la famille. Avec les morccaux assez grands, elle faisait des courtepointes à motifs géométriques arrangés savamment. Avec les morceaux plus petits, elle construisait un assemblage de pièces de diverses formes et dimensions. On appelait ça un ouvrage «en pointes folles». Sans jamais avoir appris la peinture et la composition de tableaux, elle savait agencer les formes et les couleurs de façon harmonieuse, s'adonnant, sans le savoir, à l'art non figuratif. C'était parfois presque du Riopelle!

Eh bien! Les textes que je vous présente dans ce livre que vous ouvrez sont rassemblés un peu comme un ouvrage «en pointes folles». Vous y trouverez, je l'espère, de l'unité et de l'harmonie, non sur le plan esthétique, mais sur le plan doctrinal. Vous sauterez avec moi d'un sujet à l'autre sans plan préétabli, mais pas, je crois, dans la confusion.

Ces textes brefs ont été écrits au fil des événements ou pour répondre à des questions qui m'étaient adressées. Ils ont été publiés dans le bulletin du diocèse de Valleyfield, dans une revue ou dans les hebdos locaux. J'ai conservé ceux qui peuvent encore être actuels. Je les ai voulus simples et courts. De nos jours, les gens n'ont généralement ni le temps ni la patience de lire de longs textes.

Dans les années 1940, le père Lelièvre, grand apôtre de la dévotion au Sacré-Cœur, savait captiver les foules durant plusieurs heures. Le cardinal Villeneuve disait de lui : «Ses sermons sont toujours en trois points : point de fond, point de forme et point de fin.» Si, dans mes propos, vous ne trouvez pas le fond ni la forme que vous attendez, dites-vous que, au moins, la fin n'est pas loin.

Ces écrits se lisent indépendamment les uns des autres. On n'est pas tenu de commencer par les premiers. On peut y aller au hasard d'un titre qui pique la curiosité ou s'arrêter là où on ouvre le livre.

Amusez-vous avec mon ouvrage «en pointes folles». Vous y trouverez peut-être une harmonie semblable à celle qu'offrent les courtepointes de ma mère : l'harmonie entre les couleurs de l'Évangile et celles de vos soucis, de vos joies, de vos peines, de vos espoirs, de vos questions et des événements de votre vie.

ROBERT LEBEL

◆

Évêque émérite de Valleyfield

RÉFLEXIONS

EN

POINTES FOLLES

ANNE
SIGIER

ÉDITION

Éditions Anne Sigier
1073, boul. René-Lévesque Ouest
Québec (Québec) G1S 4R5

DÉPÔT LÉGAL

Bibliothèque nationale du Québec
Bibliothèque nationale du Canada
3ᵉ trimestre 2001

ISBN

2-89129-385-1

Les illustrations sont de l'auteur.

Imprimé au Canada

Distribution en France et en Belgique par Anne Sigier – France

Site Web : www.annesigier.qc.ca

Les Éditions Anne Sigier reconnaissent l'aide financière du gouvernement du Canada par l'entremise du
programme d'aide au développement de l'industrie de l'édition et l'aide financière du gouvernement du
Québec par l'entremise de la Société de développement des entreprises culturelles du Québec.

La prière d'un serviteur de l'Évangile dans l'épiscopat

SEIGNEUR, je te rends grâces d'avoir voulu m'appeler à travailler au service de l'Évangile.

Tu as mis entre mes mains ton Corps : *« Ceci est mon corps donné pour vous ; faites ceci en mémoire de moi »* (Luc 22,19).

Tu m'as confié ta Parole, le joyeux message de la vie éternelle qui est en toi et que tu veux communiquer à tous les humains : *« Allez donc enseigner toutes les nations »* (Mt 28,19).

Comme membre du collège épiscopal qui continue la mission des apôtres, tu as fait de moi ton vicaire dans l'Église, que tu as confiée à mon soin pastoral. Redoutable honneur, énorme responsabilité !

Heureusement, Seigneur, tu es toujours avec moi. À travers ma présence et mon ministère, c'est toi qui agis, qui consoles, qui sauves, qui répands ton Esprit et ta vie.

Parce que j'agis en ton nom, je fais des choses qui me dépassent et dont je ne cesse de m'émerveiller. Que mon imperfection, ma faiblesse et mon orgueil ne soient pas un écran qui cache ton visage de bonté et de miséricorde.

Donne-moi l'ardeur de ta charité, de ton zèle, de ta patience, de ton écoute, de ta sagesse. Fais-moi accueillir tous ces dons que tu m'offres dans la grâce de mon ordination.

Je veux, par tout mon être, par mon enseignement et par mon activité pastorale, te présenter notre Église et te présenter à elle. Que tous soient un en toi parce que tous unis à toi intimement.

Je ne suis pas un intermédiaire entre toi et mes frères et sœurs. Le seul Médiateur, c'est toi. Il n'y a personne entre toi et tes disciples, entre toi et les membres de ton Corps. Tu les fais entrer dans ton intimité, tu les fais participer, dans ton Esprit, à la vie que tu reçois du Père et à ton action de grâces.

Je suis au service de ta présence à tes fidèles et de leur présence à toi. C'est autour de toi et non de moi-même que je les rassemble, heureux que tu m'accueilles avec les disciples que le Père t'a donnés et qui ont entendu ton appel à travers mon ministère.

Par toi, je rends grâces au Père, dans l'Esprit qui fait de moi son enfant, d'avoir voulu m'associer de manière spéciale à ta mission, toi qui t'es fait Bonne Nouvelle, joie pour le monde et source de vie immortelle.

Le petit chien de Manon

•

DANS LE FILM *Manon des sources,* d'après l'œuvre de Marcel Pagnol, nous voyons la jeune bergère Manon conduire et rassembler son troupeau sur les collines, parmi les arbres et les rochers escarpés.

De sa voix cristalline, elle appelle ses brebis. Celles-ci reconnaissent sa ritournelle et ne répondent pas à d'autre appel.

C'est ainsi avec le divin Pasteur. Il appelle par son nom chacune de ses brebis. Il marche à leur tête et *« elles le suivent parce qu'elles reconnaissent sa voix »* (Jn 10,3-4).

Demandons à l'Esprit le discernement de la foi pour reconnaître la voix de notre vrai Berger parmi les appels de toutes sortes qui sollicitent notre recherche de vérité et de bonheur.

Dans ce film, il y a aussi un petit chien qui court tout autour du troupeau et l'amène à resserrer ses rangs autour de la bergère.

En voyant ça, je me suis dit: «Tiens, ça, c'est moi.» On me donne le titre de pasteur, car j'ai à rassembler en Église les disciples du bon Pasteur. Je le fais en son nom et pour lui avec les pouvoirs, les capacités qu'il me donne. Mais au fond, ce n'est pas moi, le Pasteur. Ce n'est pas mon troupeau, mon Église que je rassemble. Ce n'est pas autour de moi que les fidèles s'unissent, mais autour du divin Pasteur.

Le petit chien de Manon court et jappe pour que les brebis se tiennent regroupées autour d'elle et qu'aucune ne prenne le large et ne se perde. Moi aussi, je cours, parfois littéralement, j'enseigne, j'interpelle pour que le plus grand nombre réponde à la voix du Maître, que personne ne s'égare et qu'on se rassemble tous et toutes pour n'avoir plus, à la fin, qu'*un seul troupeau et un seul berger* (Jn 10,16). Et si le loup se présente, je devrai aussi, comme les petits chiens de berger, lui faire face pour défendre les brebis.

Mais ne poussez pas la comparaison plus loin.

« On dirait qu'il prie »

•

DES PAROISSIENS vantaient la piété de leur curé: «Quand il célèbre la messe, on dirait qu'il prie.»

Dans un livre récent, un auteur affirme: «Une des grandes responsabilités du prêtre, c'est de présider l'eucharistie, de faire prier ses fidèles [...]. Mais cela n'en fait pas un homme de prière pour autant, car il est difficile de prier quand on fait prier.»

Je vous avoue que telle n'est pas mon expérience. Il me semble que je célèbre l'eucharistie avec plus de foi et de conviction quand ma prière est soutenue par la communauté qui célèbre avec moi.

Mais je ne prends pas la remarque de cet auteur de façon négative. Je la reçois comme une interpellation. Si on n'y prend garde, on risque d'exercer le ministère du président de la prière communautaire comme une fonction. On fait prier les autres.

Celui qui préside à la prière doit s'engager lui-même, intérioriser ce qu'il dit et ce qu'il fait. Cela est vrai pour le prêtre, le diacre, l'agent de pastorale, l'animateur d'un groupe de prière. Bien sûr, le Christ est toujours présent lorsque des disciples sont réunis en son nom (Mt 18,20). Il peut faire des merveilles dans le cœur des personnes présentes, même si celui qui préside est totalement absorbé par le rituel, ce qui survient lorsque le président d'une célébration accapare tous les rôles et ne fait pas confiance aux autres qui animent avec lui. Cette situation évoquée par l'auteur cité plus haut correspond à ce qui existe encore parfois, malheureusement, mais de moins en moins souvent, heureusement, grâce à l'engagement de laïcs formés. Le président de l'eucharistie *préside* et il laisse les autres jouer leur rôle.

Mais de là à penser qu'on peut, en présidant une assemblée, prier avec le recueillement d'un moine dans la tranquillité de sa cellule... Pour cela, le pasteur et les autres animateurs de la prière doivent se garder des temps de solitude, de silence et d'intériorité. Le prédicateur qui se prépare à relever le défi d'une homélie ne fait pas que consulter des revues, naviguer sur Internet ou faire de l'exégèse pour se documenter. Il doit intérioriser son message, être le premier à s'en nourrir. «La doctrine est une nourriture même pour celui qui la donne aux autres» (saint Grégoire de Nazianze). Pour saint Thomas d'Aquin, prêcher, c'est passer aux autres ce qu'on a reçu de l'Esprit dans la contemplation.

Tout cela est vrai aussi pour les autres animateurs dans la prière communautaire. La personne qui va proclamer la Parole doit s'être préparée à en faire une bonne lecture sans changer des mots importants pour le sens (les Thessaloniciens en arrachent parfois pour franchir la bouche du lecteur, quand on ne les a pas vus venir). Mais elle doit aussi avoir intériorisé son texte afin qu'il passe non seulement par sa bouche, mais aussi par son cœur. Proclamer la Parole de Dieu, c'est prier.

Faire prier, c'est prier avec d'autres. Voilà ce qu'il faut dire, ou faire advenir si tel n'est pas le cas.

« Caesar pontem fecit »

MOT À MOT, cette phrase, qui était un exemple de la grammaire latine, nous dit : « César fit un pont. » Mais on nous faisait traduire : « César fit faire un pont. » Si ma mémoire est fidèle, cette phrase est tirée du récit que César fit lui-même de la guerre des Gaules, où il était le commandant.

Sa façon de dire relève de la concision de la langue latine. Mais de toutes façons, César avait le droit de s'exprimer comme ça. C'est sûr, il n'a jamais mis la main sur un madrier pour construire quoi que ce soit. Mais « faire faire » est plus que faire. Naguère, notre premier ministre Duplessis, dans ses discours, construisait des ponts et des écoles et même les bénissait !

« Faire faire » n'est pas plus simple que faire tout court. C'est comme faire au carré, faire multiplier par faire. Agir comme contremaître, gérer une entreprise, diriger une équipe ne demandent pas moins de travail et d'énergie que de s'employer directement sur le terrain, et a autant d'effet sur l'ouvrage qui en résulte.

Qu'en est-il alors d'un pasteur ou d'un animateur qui fait prier une communauté chrétienne ? Est-ce qu'il prie lui-même ou fait-il seulement prier les autres ? Il prie avec les autres. Il rassemble sa communauté et sa prière. Dans l'ancien missel, la prière qui clôt le rite d'entrée s'appelait « collecte », pour signifier que le président rassemble les

prières que les fidèles portent en eux. Il ne dit pas : « Priez »,
mais : « Prions le Seigneur. »

La prière présidentielle concerne celui qui la fait tout en
s'exprimant au nom de l'assemblée et de Jésus-Christ, qui
est le centre du rassemblement.

La plus belle prière d'un pasteur est celle d'une communauté qui prie dans la ferveur, aidée par une belle
liturgie, et qui s'engage pour faire passer dans la vie ce
qu'elle a célébré. C'est en travaillant pour sa communauté,
en priant avec elle et pour elle, que le pasteur progresse
dans sa vie de fidèle et de disciple. C'est ainsi que parle le
concile Vatican II dans son décret consacré aux prêtres.

Quand le pasteur se met en prière, s'il est assailli par les
soucis, les problèmes, les besoins, les joies que lui donne sa
communauté, qu'il ne les prenne pas comme des distractions. Le Seigneur a pensé à nous quand il priait. Les
parents, par exemple, peuvent-ils prier sans penser à leurs
enfants ? La prière de notre Sauveur, des pasteurs, des
parents et de tous les autres responsables va toujours dans
la même ligne.

Porter la prière des autres, les faire prier, c'est prier.
Comme faire construire, c'est construire.

Quelles nouvelles ?

« IL VAUT MIEUX être en bonne santé que malade. » Voilà une vérité qu'on ne peut contester. Mais ce n'est pas une nouvelle.

Si, après un examen médical, on nous dit : « Vous êtes en bonne santé », ça, c'est une bonne nouvelle !

Le mot « Évangile » signifie « bonne nouvelle ». L'Évangile n'est pas seulement des vérités à apprendre, mais des choses nouvelles et bonnes qui nous arrivent ou nous sont offertes.

Être chrétien, ce n'est pas seulement avoir des vérités à croire et des choses à dire. C'est *accueillir Quelqu'un* qui nous apporte une réalité bonne et toujours nouvelle.

La Parole de Dieu est bonne nouvelle parce qu'il est présent lorsque nous le recevons et qu'il réalise ce qu'il dit.

La première bonne nouvelle autour de laquelle les apôtres ont rassemblé l'Église naissante est celle-ci : *« Jésus de Nazareth qu'on a crucifié, Dieu l'a ressuscité, nous en sommes témoins, et l'a fait Seigneur et Christ »* (Ac 2,22-36).

Toutes les autres bonnes nouvelles se greffent sur celle-là et y prennent leur signification et leur consistance. *« Si le Christ n'est pas ressuscité, notre prédication est vide, et vide aussi notre foi »* (1 Co 15,17).

Toutes les bonnes nouvelles que Dieu nous annonce en Jésus-Christ sont vraies comme est vraie sa résurrection.

Dieu nous aime et il nous a créés pour la vie et le bonheur. *«Celui qui a ressuscité le Seigneur Jésus nous ressuscitera nous aussi avec Jésus»* (2 Co 4,14). Si nous avons la foi en Jésus-Christ, il nous donne sa vie et il nous ressuscitera comme lui (*cf.* Jn 6,40).

Tout ce qui est reçu dans la foi dans le sens de la vie est bonne nouvelle. Il ne s'agit pas d'abord d'idées, mais de bonnes choses nouvelles : des choses qui arrivent ou qui s'annoncent. Par exemple, une bonne nouvelle, c'est que la réconciliation est possible puisqu'il y a des gens qui la font. Le partage et la justice sont une bonne nouvelle pour le pauvre et l'écrasé. Une bonne nouvelle, c'est tout le bien que nous nous faisons mutuellement à cause de Jésus-Christ.

Les bonnes nouvelles, ce sont des événements que vivent des personnes. La première de toutes les bonnes nouvelles, c'est que le Fils de Dieu est ressuscité et qu'il est avec nous jusqu'à la fin des temps (*cf.* Mt 28,20) pour nous faire partager l'amour que son Père lui donne.

Que le Seigneur nous donne d'accueillir cette bonne nouvelle dans la foi pour ouvrir notre cœur à toutes les autres.

Plus grand que le temps qui dure

> «*Nous autres, les mortels, nous palpons les métaux, le vent, les rivages de l'océan, les pierres, en sachant qu'ils nous survivront, immobiles ou ardents. Moi, peu à peu, j'ai découvert, nommé toutes choses: mon destin a été d'aimer et de prendre congé.*»
>
> Pablo Neruda, poète chilien

NOUS SOMMES IMPRESSIONNÉS par la durée du monde qui nous entoure. La moindre pierre que nous prenons dans notre main existe depuis des millions d'années.

Notre terre, avec ses océans immenses, ses montagnes majestueuses et la vie qui y fourmille dans une variété infinie, est toute petite et relativement jeune dans l'immense univers.

Une vie humaine, même centenaire, c'est quoi dans cette longue durée du monde? Une palpitation, un soupir. «*L'homme ressemble à du vent, et ses jours à une ombre qui passe*» (Ps 144,4).

«Pendant qu'un peu de temps occupe un peu d'espace en forme de deux cœurs...» (Gilles Vigneault).

Dans ce peu de temps qu'est la vie humaine, il y a une dimension que n'égaleront jamais les êtres de la nature, si immenses et si anciens qu'ils soient.

Dans la courte existence humaine, il y a la connaissance et l'amour. Le plus vieux rocher du Bouclier canadien n'a pas de mémoire. L'étoile la plus brillante ne sait pas qu'elle est une étoile.

Avec l'être humain arrivent l'âme, l'intelligence et le cœur. C'est un monde nouveau qui prend place dans la nature.

Comme elle a été courte, la vie de ceux que nous avons aimés! Mais leur existence est plus grande que les dates inscrites sur leur pierre tombale.

La foi les a mis en contact avec le monde éternel de Dieu. La mort les y a fait entrer. Ils sont dans une existence qui ne passe pas.

Un cœur qui aime est grand comme le monde, plus grand que tout ce qui est visible. Qui sait aimer, qui accueille l'amour construit dans l'éternel. *«L'amour ne disparaît jamais»* (1 Co 13,8). Le temps perdu, c'est celui consacré aux querelles ou perverti par la haine ou la rancune.

«Aimer et prendre congé», c'est la façon d'entrer dans le monde qui ne passe pas.

Mes héros

D ES ÉCOLIERS me demandaient quelles personnes m'avaient le plus impressionné dans toutes les rencontres que j'ai faites durant ma vie.

Comme ils s'y attendaient, j'ai mentionné notre pape Jean-Paul II et mère Teresa de Calcutta.

Jean-Paul II est de taille moyenne, mais c'est un géant sur le plan intellectuel et sur le plan moral. On sent en lui une force extraordinaire. Mais il sait nous mettre à l'aise avec sa simplicité et le plaisir qu'il semble prendre à rencontrer les gens.

Mère Teresa est toute menue et très humble dans son approche. Mais près d'elle, je me suis senti tout petit. On devine son cœur si grand pour contenir tant d'amour donné et tant de force d'entraînement. Ses mains délicates et très souples sont les instruments de la tendresse de Dieu pour les mourants à qui elle permet de vivre leurs dernières heures de façon humaine.

Mais en répondant aux écoliers, j'ai ajouté une autre personne : une femme âgée rencontrée dans une réunion en milieu ouvrier. Cette femme racontait le plus simplement du monde comment, au cours de la crise économique des années trente, devenue veuve avec cinq enfants, elle avait dû subvenir elle-même aux besoins de sa famille.

Elle a nourri, logé et habillé ses enfants grâce au travail de couture qu'elle faisait à domicile. À plusieurs reprises, pour arriver, elle a dû faire le tour de l'horloge à l'ouvrage. Et encore, elle devait parfois marchander avec ses clientes le prix de son travail, dont elle avait absolument besoin pour nourrir ses enfants.

Elle nous racontait tout ça sans se plaindre, comme une chose qui va de soi, mais, en même temps, pour nous inciter à ne pas lâcher.

Je l'ai écoutée, les larmes aux yeux, plein d'admiration. Quelle vie donnée!

C'est ce genre de personnes que Jésus admirait le plus (*cf.* Lc 12,41-44).

•

La vie est une montée jusqu'à la fin

•

QUI A DIT que la vieillesse est un naufrage? Je connais maintes personnes âgées qui n'ont pas du tout l'air de naufragés.

Pour la Bible, l'âge amène la sagesse, la prudence, l'art de donner un bon conseil. *«Comme le jugement convient aux cheveux blancs, et aux anciens de savoir donner un conseil! Comme la sagesse convient au vieillard!»* (Si 25,4-5). Dans toutes les civilisations (le mot suppose qu'il s'agit de gens civilisés!), on a respecté les personnes âgées et on les a écoutées.

Selon le philosophe français Gustave Thibon, les humains, avec le temps, comme les fruits, deviennent plus doux et plus tendres. Ils progressent vers la maturité.

Avec l'âge, il est vrai, on perd des capacités. On est moins en forme physiquement, les handicaps font leur apparition, la maladie vient faire sa visite et parfois s'installe, la mémoire diminue. Mais reconnaître et accepter ses limites, est-ce faire naufrage?

Au début du siècle, un prêtre français, Mgr Baunard, a écrit un beau livre que j'ai lu quand j'étais écolier: *Le vieillard, la vie montante*. Il y a vingt-cinq ans nous est venu de France quelque chose de mieux qu'un livre: un mouvement concernant le troisième âge, qui a emprunté le titre du livre: «La vie montante».

Il s'agit d'un mouvement de spiritualité pour les aînés, un mouvement accepté et encouragé par l'Église catholique.

Les aînés y trouvent de l'enseignement, des échanges guidés par la Parole de Dieu, de la prière et diverses activités. Ensemble, ils développent une meilleure connaissance de leur foi chrétienne. Ils voient comment celle-ci peut éclairer l'étape de leur vie qu'ils sont en train de traverser et lui donner un sens.

Les ressources spirituelles peuvent les aider à faire de leur vieillesse une montée, un progrès sur le plan humain et le plan de leur foi chrétienne. Les années qui s'accumulent sont un don de Dieu et un signe de sa bénédiction (*cf.* Dt 5,16). On peut encore grandir humainement et intérieurement, malgré les misères physiques. «*C'est pourquoi nous ne perdons pas courage,* nous dit saint Paul, *et même si, en nous, l'homme extérieur va vers sa ruine, l'homme intérieur se renouvelle de jour en jour*» (2 Co 4,16).

J'aime beaucoup le mouvement «La vie montante». J'ai favorisé son implantation dans notre milieu et je suis heureux qu'il enrichisse notre Église de son souffle d'espérance.

Visitons nos cimetières

MON PÈRE n'aimait pas faire des visites au cimetière. Il disait: « Ça ne presse pas pour y aller. C'est là que nous allons être le plus longtemps. »

Les cimetières nous rappellent la fragilité de notre vie présente. Lorsque nous regardons les dates sur les monuments, nous avons le goût de dire, avec le psalmiste: « *Le temps d'un soupir et nos années s'achèvent: soixante-dix ans, c'est la durée de notre vie, quatre-vingts, si elle est vigoureuse. Son agitation n'est que peine et misère ; c'est vite passé et nous nous envolons* » (Ps 90,9-10).

Nous constatons que la moyenne de longévité de notre génération est plus grande que celle d'autrefois. Mais tous nous finirons par arriver au moment où on inscrira deux dates sur notre monument funéraire.

Mais nos cimetières ne parlent pas que de la mort. Ils sont témoins de notre espérance en la vie. Nos défunts vont y dormir dans le sein de notre mère la terre en attendant le grand réveil de la résurrection.

Nous gardons sur leurs tombes le souvenir de nos disparus. Mais il reste d'eux plus qu'un souvenir. Ils ne sont pas anéantis, ils sont seulement, comme le dit le mot si bien choisi, des *disparus.*

C'est une grande peine de ne plus les voir, leur parler, les entendre, les toucher, les embrasser. Mais nous pouvons encore les aimer. Nous pouvons communiquer avec eux, non par la nécromancie, mais dans la foi. Ils sont présents à Dieu qui nous est présent dans la foi. «Seul il ne perd aucun être cher, celui à qui tous sont chers en Dieu qu'on ne perd jamais» (saint Augustin).

Les cimetières ne sont pas des endroits tristes, même s'ils sont liés à des moments pénibles quand sont disparus des êtres chers. Ils ne sont pas le bout du chemin où tout finit, sans espoir. Ils sont des lieux d'attente.

Cimetière vient du mot grec *koimètérion*, qui signifie «dortoir». Les morts y sont couchés dans la position du sommeil. Les croix dressées sur les monuments annoncent le grand matin du jour définitif.

Faisons de nos cimetières des endroits de paix et des signes de l'espérance qui anime nos vies. Visitons-les, gardons-les propres et attrayants.

La joie

«Dieu ne demande pas ni ne désire que l'homme s'afflige: il préfère qu'il se réjouisse et rie en son âme, à cause de l'amour qu'il éprouve pour lui.»
Jean Climaque (579-649)

LE MOT «JOIE» se trouve 342 fois dans la Bible! C'est donc une réalité très importante de notre foi. Comment a-t-on pu donner à celle-ci une image de tristesse et de peur?

Nous sommes créés pour connaître la joie. C'est notre vocation. Nous sommes faits pour aimer. Pour l'être humain, s'épanouir, c'est apprendre à aimer et à se laisser aimer.

Quand on atteint ce qu'on aime, on éprouve du plaisir ou de la joie: du plaisir surtout, s'il s'agit d'une réalité saisie par les sens: le goût, l'ouïe, la vue, l'odorat, le toucher; de la joie, s'il s'agit d'une réalité qui s'adresse à l'âme et au cœur, comme l'amitié, la beauté d'une musique, la découverte de la vérité.

En fait, le plus souvent, plaisir et joie viennent ensemble parce que nous sommes à la fois corps et âme. Une belle musique, par exemple, fait plaisir aux oreilles en même temps qu'elle offre un agréable message pour l'âme. La présence d'une personne aimée est une joie à la fois pour les yeux et pour le cœur. Pour le prophète Ézéchiel, Dieu appelle son épouse *« la joie de tes yeux »* (Éz 24,16).

La joie est le résultat de la présence de Dieu. Elle est un fruit de l'Esprit, une production de l'Esprit Saint dans notre cœur (*cf.* Ga 5,22). Elle est la fleur qui s'épanouit au soleil de l'amour. C'est le toucher de Dieu, source de toute joie, qui fait sentir sa présence. Cette présence, elle est sentie au fond du cœur, mais elle est perçue aussi dans les frères et sœurs que Dieu habite. La joie, c'est ce qu'on partage de meilleur dans la rencontre fraternelle des enfants de Dieu.

Cette joie est mystérieuse et dépasse nos analyses. Elle peut subsister dans la souffrance ou avec tout ce qui peut apporter de la tristesse. Elle est comme un mystérieux trésor qui met dans le cœur une paix autrement inexplicable.

Les litanies appellent la mère de Dieu « Cause de notre joie ». Elle nous aide à ouvrir notre cœur pour accueillir l'Esprit, source de notre joie.

Je vous souhaite de vous laisser entraîner par son chant de joie, le *Magnificat*.

Une Église imparfaite

*« Le sage montre du doigt une étoile,
l'irréfléchi regarde le doigt. »*

Proverbe chinois

DANS L'OPINION PUBLIQUE, notre Église est souvent placée au banc des accusés. On lui trouve des défauts, car elle en a. On lui reproche des gestes et des attitudes qui ne sont pas conformes à l'Évangile, et ce n'est pas toujours faux.

Notre Église n'est pas parfaite. La perfection, elle ne l'a pas encore, elle la cherche, elle l'attend de Celui qui peut la lui donner et qui est bien patient devant les lenteurs de ses enfants.

Elle n'est pas parfaite. Heureusement pour moi! Heureusement pour vous! Je me sentirais mal à l'aise parmi des gens sans reproches, sans défauts, et qui réussissent invariablement des trous d'un coup.

L'Église, c'est chacun et chacune de nous et nous tous ensemble, avec nos défauts, nos coups manqués, nos erreurs, nos peurs injustifiées, nos paresses, notre égoïsme, etc.

Nous sommes dans l'Église avec la conscience de nos limites, mais aussi avec notre bonne volonté, en rêvant plus grand que nous-mêmes parce que Celui qui nous y rassemble nous dépasse tous infiniment.

Nous nous rassemblons pour former l'Église. Ce rassemblement est plus que la somme de ce que chacun de nous y apporte. Car le Seigneur lui-même y est présent. *«Chaque fois que vous vous réunirez en mon nom, je serai au milieu de vous»* (Mt 18,20).

La foi nous permet de percevoir la présence de Jésus-Christ dans l'Église, de rejoindre Jésus-Christ au cœur de l'Église malgré les limites de ses membres, mais aussi par leur témoignage des valeurs de l'Évangile qu'ils vivent.

L'Église nous montre le Christ. Elle nous mène à lui. Il ne faut pas arrêter notre regard sur l'Église, sur ce que sont ses membres et sur ce qu'ils font. Il faut aller jusqu'au Christ qu'elle nous montre par sa prédication, par le témoignage de ce que les fidèles accomplissent en fidélité à l'Évangile et par le pardon, dans lequel nous sommes invités à dépasser nos limites.

L'Église ne nous propose pas d'abord des commandements. Elle nous transmet un appel, l'appel de Celui qui est venu nous aider à chercher le bonheur. N'arrêtons pas nos regards à la main qui nous le montre.

Notre Mère, la grande croyante

DANS SES *Derniers Entretiens,* sainte Thérèse de Lisieux disait de la mère de Dieu : « On la montre inabordable, il faudrait la montrer imitable, faire ressortir ses vertus, dire qu'elle vivait de foi comme nous, en donner des preuves par l'Évangile, où nous lisons : ‹ Ils ne comprirent pas ce qu'il leur disait… › »

Marie a, comme nous, vécu dans la foi, une foi qui pose des questions, comme à l'Annonciation, comme au Temple, où elle retrouve son fils. Une foi aussi qui prie, qui réfléchit sur les paroles de Jésus et les événements de sa vie. *« Elle gardait fidèlement toutes ces choses en son cœur »* (Lc 2,51).

À cause de son attention à la Parole de Dieu et aux signes qu'étaient les événements de la vie de Jésus, elle a toujours été à la hauteur des circonstances et elle a su répondre à ce que Dieu lui demandait. Il en fut ainsi à Cana, au calvaire et dans la foi qui l'a soutenue en attendant la Résurrection.

Au Cénacle, elle a inspiré la prière des disciples qui se préparaient à l'effusion de l'Esprit. Elle a été pour l'Église apostolique la mémoire vivante des origines de Jésus et une maîtresse d'intériorité.

Elle a été la mère de l'Église naissante ; elle est toujours la mère de l'Église actuelle, qui nous engendre dans la foi.

Elle est la médiatrice universelle, tout ce qui nous vient de Dieu passe par elle. Mais on ne peut pas dire qu'elle nous donne Dieu. Dieu est en lui-même don, il n'a pas besoin d'être donné. Marie ne nous donne pas Dieu, elle l'accueille pour nous et avec nous. Et c'est par la foi que nous accueillons Dieu et ses dons. Elle est notre modèle de foi, elle est notre maîtresse de foi, elle est présente dans nos actes de foi.

Elle est la main maternelle qui guide notre marche dans la foi. Elle nous montre et nous ouvre le chemin de la prière contemplative. En sa compagnie, comme elle, nous apprenons à garder les choses de Dieu dans notre cœur, dans un regard de foi amoureux.

•

Si le grain ne meurt...

•

CHAQUE PRINTEMPS, nous assistons à la même merveille : le renouveau de la vie. Une frêle plante sort d'une graine en s'accrochant à la terre et en cherchant le soleil.

La vie, c'est fragile, mais c'est aussi ce qu'il y a de plus fort. La vie est don et accueil, sacrifice et épanouissement. Le grain semé se livre totalement à la terre, mais il accueille l'humidité du sol qui le nourrit, il s'ouvre à la lumière et à la chaleur du soleil. Il sacrifie le fruit de la dernière moisson pour que s'épanouisse le germe de la nouvelle croissance.

« Si le grain de blé qui tombe en terre ne meurt pas, il reste seul ; si au contraire il meurt, il porte du fruit en abondance » (Jn 12,24).

Mourir, ce n'est pas simplement s'en aller, disparaître. Le grain semé en terre accepte que tout ce qui est en lui passe dans la force vitale du germe. Mourir, pour le grain, c'est tout donner à la partie vivante de lui-même, le germe, pour que la vie continue, s'épanouisse, se multiplie. La mort du grain de blé est toute tournée vers la vie.

L'Évangile nous propose en exemple la sagesse du grain de blé. Notre vie a un avenir si nous savons en faire une semence. Si on veut tout garder pour soi-même, on bloque la vie, qui est don et accueil. L'avoine conservée dans les tombeaux des momies égyptiennes n'a rien perdu, mais elle va finir comme elle est, tandis que celle qui a été mise en terre s'est multipliée et a nourri des générations.

Notre vie est-elle celle d'un fruit mis en conserve ou celle d'un grain semé en terre?

Le germe de vie en nous, c'est de savoir donner et accueillir l'amour. Mourir quotidiennement, c'est dépasser son égoïsme, le culte de sa petite personne, pour donner aux autres leur place, leurs droits, la considération, l'amitié, l'amour qu'ils attendent. La nature s'épanouit grâce aux semences qui se donnent chaque printemps. L'humanité progresse et devient plus humaine si ses membres savent donner et pas seulement prendre.

En ceux qui l'accueillent, le Seigneur dépose un germe de sa vie éternelle. Dans la foi de l'Évangile, mourir, c'est accepter de perdre ce qui passe pour que s'épanouisse ce germe qui est fait pour durer éternellement. La résurrection, c'est l'épanouissement de cette vie nouvelle qui est déjà en nous.

Un moment d'extase
devant une construction

•

AU COURS DE L'ÉTÉ, il m'est arrivé d'observer assez lon-
guement un être merveilleux au travail. Il s'agit d'un
ouvrier qui est en même temps architecte, ingénieur et acro-
bate, en train d'installer seul un filet immense à son échelle,
et cela, dans un vent qui agitait violemment l'ouvrage.

Oui, il s'agit d'une araignée. Avez-vous déjà remarqué
l'ingéniosité et la rigueur avec lesquelles cette bestiole
construit sa toile dans laquelle elle capture ses proies? Elle
va chercher les meilleurs points d'ancrage, parfois assez
éloignés les uns des autres. Elle relie les fils les uns aux
autres en agençant adroitement les tensions. Le génial con-
cepteur du pavillon des États-Unis à l'Exposition universelle de 1967 a pris son idée et son modèle sur une toile
d'araignée.

Dans ce chef-d'œuvre de la nature, il y a une pensée. Le
hasard ne fait pas à répétition une chose aussi parfaite. S'il
s'y trouve une pensée, il y a quelqu'un qui pense. Est-ce
l'araignée qui pense, qui raisonne son travail, qui fait les
calculs? C'est pensé d'avance, car toutes les araignées de la
même espèce font leur toile de la même façon. Elles ont
leur savoir-faire dans leur code génétique. Alors, qui a mis
là ce programme?

La nature est remplie de pareilles merveilles. Les
savants en découvrent sans cesse. Les plus belles réussites

des technologies les plus avancées sont simplement l'application des lois qu'on a trouvées dans la nature. La biologie, la chimie, la physique et toutes les sciences travaillent sur une matière organisée. Le monde est une affaire «songée», comme disait quelqu'un.

La personne qui croit en Dieu distigue dans la nature la main du Créateur. Elle trouve dans la beauté des choses et dans l'intelligence qui s'y manifeste un motif d'admiration et de reconnaissance.

D'autres ne se rendent pas jusque-là. La nature ne leur parle pas de son Créateur. L'auteur du livre de la Sagesse les excuse partiellement: *« Entourés par les œuvres de Dieu, ils les étudient attentivement; ils sont séduits par leur apparence, car ce qu'ils voient est tellement beau »* (Sg 13,7). Admirer un chef-d'œuvre est déjà rendre hommage à son auteur, même si on ne le connaît pas.

Les chercheurs qui découvrent les merveilles de la nature et les inventeurs qui les mettent en application rendent hommage à Celui qui, pour les croyants, en est l'Auteur.

Quand vous verrez une toile d'araignée accrochée aux montants de votre véranda, un matin d'été, prenez le temps de regarder la merveille qu'est cette construction avant d'y donner un coup de balai.

Savoir écouter

AUDREY était en visite chez sa grand-mère. Celle-ci avait dressé dans sa cour une niche avec une statue de la sainte Vierge.

Audrey s'est arrêtée devant ce sanctuaire miniature et s'est recueillie un bon moment. Et elle est retournée à ses jeux.

«Tu as prié la sainte Vierge? a observé la grand-mère. Que lui as-tu dit?

— Je ne lui ai rien dit, a répondu Audrey, je l'ai écoutée.»

Cette enfant de six ans nous a donné, à mon avis, une bonne leçon sur la prière. Prier, c'est se mettre à l'écoute de ce que Dieu nous communique. *«Avoir un cœur qui écoute»,* selon la belle expression de la Bible (1 R 3,9).

Le cœur, c'est l'endroit le plus intérieur de notre être, là où la connaissance et l'amour se rencontrent et ne font plus qu'un. C'est l'antenne où nous pouvons percevoir la présence de l'Esprit, accueillir sa lumière et nous livrer à son influence. L'Église nous fait demander, dans une prière liturgique, «l'intelligence du cœur» (2e dimanche de l'avent). C'est la même chose qu'écouter et comprendre avec son cœur. On peut aussi, dans le même sens, parler du don de sagesse ou de prière contemplative.

L'important n'est pas de pouvoir nommer ce don de Dieu, c'est de l'accueillir. Plusieurs personnes sont déjà rendues là sans pouvoir l'expliquer. Le cœur est un jardin secret dont on ne saurait faire la description aux autres. Audrey n'a pas su communiquer à sa grand-mère ce que la sainte Vierge lui a dit.

C'est quoi prier? Un garçon de onze ans m'a répondu: «C'est être en contact avec Dieu.» L'important, ce n'est pas ce que nous disons à Dieu. Dieu n'a pas besoin de nos paroles. C'est nous qui avons besoin de parler pour préciser nos attentes et fixer notre attention. Jésus lui-même nous a suggéré des paroles, les plus belles qui soient, celles du Notre-Père.

Le plus important, ce n'est pas l'attention à ce que nous disons, mais l'attention à Celui à qui nous nous adressons. Les paroles doivent permettre un contact interpersonnel: autrement, elles ne sont que verbiage de perroquet. Le silence est un médium de contact autant que les paroles, peut-être plus même. «Nous ne nous connaissons pas bien, nous n'avons jamais passé du temps ensemble en silence», disait quelqu'un à un ami.

Les amoureux et les vieux amis n'ont pas besoin de se parler tout le temps pour être heureux de se trouver ensemble. Puissions-nous en arriver là avec le grand Ami, la Sagesse même, dont les délices sont d'être avec les humains (*cf.* Pr 8,31).

Un point fixe dans le tourbillon de la vie

JE M'ÉTAIS TOUJOURS demandé comment les danseurs de ballet arrivaient à tourner aussi longtemps sur eux-mêmes sans perdre l'équilibre. Nous avons tous, je pense, fait cette expérience dans notre enfance de tourner sur nous-mêmes jusqu'à l'étourdissement.

Comment tourner sans s'étourdir et perdre l'équilibre? Un danseur professionnel devenu prêtre, le regretté Jacques Dubuc, m'a donné la réponse. Le danseur fixe un point qu'il retrouve à chaque tour. En fait, il ne regarde que ce point, de sorte qu'il évite l'impression que tout le reste tourne autour de lui.

La vie ressemble parfois à ce monde qui tourne autour du danseur. Comment éviter d'être étourdi, de perdre le nord, de ne plus savoir où l'existence nous mène?

La réponse est celle de mon ami danseur. Donnons-nous un point de référence fixe où l'œil de notre cœur pourra se raccrocher pour éviter de perdre sa direction.

Ce point fixe, ce peut être un idéal que nous nous donnons, un grand projet, un amour que nous nourrissons, toute chose assez importante pour donner un sens à notre vie.

Au croyant chrétien, un point fixe est offert: la croix du Christ. La croix du Christ donne un sens à notre existence. Elle porte ce qui nous apparaît dénué de sens, surtout la souffrance et la mort, l'injustice, la violence, la cruauté.

Mais, du même coup, elle est le lieu où le plus grand amour s'est donné et l'instrument où la souffrance, la mort et tout ce qui les entoure sont devenus chemins de vie. La croix nous parle d'amour et de résurrection. Elle nous offre un signe pour notre espérance dans la ronde incessante de la vie, où rien ne semble assez stable pour construire notre bonheur.

La croix est un scandale et une folie (*cf.* 1 Co 1,23) pour celui qui ne s'arrête qu'aux apparences. Mais parce qu'elle porte la vie donnée et l'amour, elle est un panneau de signalisation vers le bonheur.

Le péché des autres

« LES GENS SANS ESPÉRANCE, moins ils font attention à leurs propres péchés, plus ils sont curieux des péchés d'autrui. Ils ne cherchent pas ce qu'ils vont corriger, mais ce qu'ils vont critiquer. »

Ces propos sont de saint Augustin, mort en 430. Comme les choses ne changent pas! On répète souvent qu'on ne parle plus de péché. Moi, je ne trouve pas. Il me semble qu'on en parle au moins autant qu'avant. Mais il s'agit surtout des péchés des autres.

Si quelque chose va mal, on cherche des coupables. Pour améliorer la situation, ce sont les autres qui ont quelque chose à changer.

On a pris conscience du péché à dimension sociale, des structures de péché qui engendrent des injustices dans la société. C'est une prise de conscience dont il faut se réjouir. On se soucie de l'environnement, de l'égalité des chances à donner à tout le monde. C'est un progrès.

Mais le mal social, même s'il est dans les structures, est aussi d'abord dans les consciences. Chacun de nous en est responsable d'une manière ou d'une autre.

Si je déplore les inégalités, l'exploitation des faibles, la destruction de l'environnement, je dois me demander ce que je dois changer dans ma vie pour corriger la situation, autrement, mon engagement social pour la cause va sonner faux.

Un vieux proverbe chinois disait: «Si chacun balaie le devant de sa porte, toute la ville sera propre.»

L'Évangile nous dit de prendre conscience de la poutre qui est dans notre œil plutôt que de ne voir que la paille qui est dans l'œil du prochain (*cf.* Mt 7,3). «Changer le monde en changeant tout d'abord son cœur», chantent les jeunes que je confirme, avec les belles paroles de mon illustre homonyme compositeur.

Je m'arrête ici pour ne pas tomber dans le piège que je signale.

La surdité de ma tante

MA TANTE a emménagé aujourd'hui au quatrième étage d'un centre d'accueil pour personnes âgées.

Elle n'était pas encore installée qu'une bénéficiaire du même étage est venue lui rendre visite. Aussitôt après avoir fait connaissance, elle s'est mise à la prévenir contre diverses personnes de la maison : telle infirmière rudoie les patients ; il faut faire attention à ce qu'on dit devant Mme X parce qu'elle est porte-panier ; une autre est curieuse comme une belette ; telle autre ne cherche que la chicane ; une est comme ci, l'autre est comme ça...

Le tout dit l'œil tourné vers la porte, où pourrait se présenter une oreille indiscrète, et la main en abat-voix au coin de la bouche pour protéger la confidentialité des informations. « Tout ça pour vous rendre service, Madame, car une femme avertie en vaut deux. »

Phéda a écouté ce discours sans broncher. Quand l'autre eut fini sa litanie, elle lui a simplement dit : « Je m'excuse bien gros, chère Madame, je n'ai rien entendu de ce que vous venez de me dire. Je suis sourde comme un pot. »

Devant cette surdité inattendue, l'autre est restée muette et n'a eu d'autre chose à faire que de tirer sa révérence par signes et de disparaître avec ses commérages.

«Une femme avertie en vaut deux», se dit ma tante en riant sous cape. «Mais une sourde volontaire en vaut bien trois.»

Si tout le monde faisait ainsi la sourde oreille devant les commérages, combien de problèmes et de disputes seraient évités! La charité et la justice y trouveraient leur compte.

Répéter une médisance ou une calomnie n'est pas mieux que la mettre en circulation.

Pour faire encore mieux, ne pouvons-nous pas empêcher les propos diffamatoires d'entrer dans notre cœur et de prendre place dans notre mémoire? Se poser un bouchon de charité, de justice et de sagesse quelque part entre l'oreille et le cœur: pouvons-nous le faire? Peut-être pas sans cette sérénité et cette liberté que donnent la prière et la vie en présence de Dieu.

·

Bonnes vacances !

·

LE MOT «VACANCES» est la clé qui ouvre la porte sur de beaux rêves: vie dans la nature, voyages, croisières, découvertes de pays différents, concerts, visites de musées, etc.

Je vous souhaite d'y réaliser vos rêves et de vous y préparer à reprendre votre travail avec un corps en forme et un esprit renouvelé, qui vous permettront de trouver, là aussi, du plaisir.

Mais à plusieurs, je souhaite d'abord de pouvoir prendre des vacances. Car elles ne sont malheureusement trop souvent qu'au pays du rêve.

La plupart de nos grands-parents n'ont jamais connu ce qu'étaient des vacances, et aujourd'hui encore, il y a des gens qui en sont là.

Car, pour prendre des vacances, ou tout simplement des loisirs, il faut deux choses: des moyens et du temps.

Être en vacances n'est pas la même chose que n'avoir rien à faire, avoir du temps devant soi sans savoir quoi mettre dedans. Combien de personnes sont obligées de passer ainsi leurs vacances à «Balconville»! Des enfants, gênés par la pauvreté de leurs parents, s'inventent des vacances, au retour à l'école, pour ne pas être différents de leurs camarades.

Il y a aussi les personnes qui n'ont pas eu la chance d'apprendre quoi faire dans leurs loisirs. Prendre une bière est bien légitime; mais si on ne sait pas faire autre chose de son temps, c'est un peu court et ça doit finir par être triste. En être réduit à «tuer le temps», ça doit être, sans jeu de mots, d'un ennui mortel.

Il y a aussi ceux qui n'ont pas le temps de s'évader. C'était le cas de nos parents et de nos grands-parents, qui devaient quand même ne pas trop en souffrir, car c'était la situation d'un peu tout le monde autour d'eux.

Mais aujourd'hui encore, des gens ne peuvent pas quitter leur travail pour diverses raisons. Il y a aussi les malades, à qui la maladie ne donne pas congé.

Mais n'oublions pas non plus les mères, mono-parentales surtout, qui ont soin de jeunes enfants à plein temps, sept jours par semaine. Chanceuses sont ces personnes si, de temps à autre, des gens leur donnent de l'aide pour pouvoir faire une petite sortie et s'évader un peu.

Notre camp familial Dom Bosco offre cette possibilité. Les personnes qui s'y dévouent ont mon admiration et mon appui.

Bonnes vacances! Tâchons de penser, avec nos moyens, à les rendre possibles à d'autres.

Vacances et loisirs

LA PAUVRE FEMME pleurait, désemparée. Pourtant, elle devait plutôt avoir de bonnes raisons de se réjouir. C'était sa première journée dans une colonie de vacances familiales mis à la disposition de familles défavorisées.

Oui, elle était vraiment désemparéc. C'était la première fois de sa vie qu'elle était placée face à une réalité tout à fait inconnue pour elle : les loisirs. «Que ferai-je toute la journée? Et ça va durer quinze jours comme ça?»

Elle avait passé toute sa vie de ménage entre sa cuisinière et sa planche à repasser, tentant de tirer le meilleur parti de ses maigres ressources pour subvenir aux besoins de sa famille. Aucun moyen de se payer des sorties, des vacances; aucune idée de ce qu'est un loisir, une activité qu'on se donne pour le plaisir.

Des gens dans la même situation que cette femme, il y en a plus qu'on le pense. On n'a pas les yeux pour les voir. Ils sont, la plupart du temps, très discrets sur leur détresse. Ça arrive le plus souvent dans les familles monoparentales, surtout à des femmes.

Le non-emploi n'est pas nécessairement un espace pour le loisir si personne ne nous a appris ce que c'est. Le chômage n'est pas synonyme de vacances. Pas besoin d'expliquer pourquoi.

Si nous pouvons prendre des vacances, pensons un peu aux personnes pour qui ce mot n'évoque même pas un rêve. Si nous avons des loisirs intéressants et gratifiants, engageons-nous pour que la société en mette à la portée de tous, surtout les jeunes.

Il y a trop de personnes pour qui «loisirs» signifie bière ou drogue. Plutôt que de les blâmer, que ferons-nous pour leur apprendre autre chose?

Les malades et les vacances

PARMI LES GENS pour qui l'été ne signifie pas «vacances», il y a les malades et les personnes qui en ont soin.

Pour certains malades, peut-être que l'été apporte un soulagement: on peut prendre l'air, on est moins renfermé, on peut voir un peu les fleurs, la belle nature. Pour d'autres, la chaleur est une incommodité et une souffrance de plus.

Au milieu de toutes les belles expériences que notre bonne santé nous permet de vivre en été, n'oublions pas de prendre du temps pour visiter nos malades et les personnes qui ne peuvent sortir à cause de l'âge ou d'un handicap.

«J'étais malade et vous m'avez visité» (Mt 25,36). Le soin des malades, la sympathie et l'amitié dont on les entoure ne sont pas une pratique exclusivement motivée par l'Évangile. Des personnes non croyantes donnent ce témoignage d'humanité et de dévouement. Mais le soin des malades, des handicapés et des personnes âgées est bien dans l'esprit de l'Évangile.

Depuis ses débuts, l'Église a toujours donné de l'importance au soin des malades et l'a fait souvent pour suppléer à ce que les pouvoirs publics ne se souciaient pas d'organiser ou n'arrivaient pas à réaliser. C'est comme ça que nos hôpitaux se sont d'abord appelés des Hôtels-Dieu. Si on n'avait pas eu cela, il aurait peut-être fait encore plus noir dans la «grande noirceur»…

L'attention aux personnes qui demandent des soins est le prolongement de l'attitude du Christ. Il n'aime pas nous voir malades. La maladie et les infirmités ne sont pas la volonté de Dieu (*cf.* Sg 1,13-14). Jésus a guéri beaucoup de malades. Par le sacrement des malades, il est encore présent pour leur apporter sa compassion, son amitié, et pour faire de la maladie un chemin de salut.

Malgré l'épreuve que constitue la dégradation de leur santé, les malades peuvent progresser en humanité. La souffrance peut être une école de maturité. S'ils se laissent accompagner par le Seigneur, dans la foi, ils peuvent faire de la maladie un chemin de salut pour eux et pour le monde. Une vie de malade n'est pas une existence inutile.

«En ce début du jour, éclaire les malades qui se sentent inutiles. Qu'ils soient les gardiens de ta présence dans le tabernacle de leur cœur pour le monde entier» (missel Ephata, prière du matin, 5ᵉ lundi de Pâques).

Le Seigneur des malades ne prend pas de vacances.

Voyager en liberté

« Personne ne sonde le mystère de la liberté si ce n'est pas dans la discipline. »
Dietrich Bonhoeffer

LA FEUILLE qui se balance dans le vent est-elle plus libre que celle qui est encore rattachée par sa tige à la branche qui alimente sa vie?

La liberté n'est pas l'absence de contraintes, d'attaches et de normes. Celui qui est égaré au milieu d'une forêt peut aller dans la direction qu'il veut, choisir n'importe quel chemin. Peut-il dire qu'il se sent libre? A-t-il le goût de s'arrêter à toutes les belles et bonnes choses que la forêt lui offre?

L'égaré de l'existence ne s'est pas donné un but dans la vie, il ne cherche pas un sens à ce qu'il est et à ce qu'il fait, il s'absorbe dans les petits bonheurs et les plaisirs à court terme. Il ne va nulle part.

Est-on libre quand on ne va nulle part?

On est libre, il me semble, quand on a choisi une destination et qu'on connaît le chemin pour y aller, avec ses indications et ses points de repère.

Il y a des indications et des balises qu'on ne se fait pas à soi-même, qui sont les mêmes pour tout le monde: les commandements, les dictées de la loi naturelle.

Serait-on plus libre si chacun faisait sa carte routière, décidait des lois de la circulation, décidait des signalisations? Vous voyez la confusion et les accidents qui en résulteraient.

Les lois et les règles morales servent la liberté. Elles éclairent ma liberté pour que je choisisse le bon chemin. Elles me permettent de suivre mon chemin en respectant la liberté des autres.

Tout cela, notre pape nous le rappelle dans son encyclique *La Splendeur de la vérité*. «Le Christ nous révèle avant tout que la condition de la liberté authentique est de reconnaître la vérité honnêtement et avec ouverture d'esprit» (n° 87).

Donner un sens au voyage de sa vie, connaître sa carte routière et être attentif à la signalisation: y a-t-il une autre façon de voyager dans la liberté?

Baisser la barre n'est pas une solution

QUAND une partie des gens ne suivent pas la norme, on est porté à baisser la barre. Souvent, les législations civiles offrent ce genre d'accommodement. Mieux vaut, dit-on, une législation plus large qui est suivie qu'une législation exigeante que la majorité outrepasse allègrement.

Ce n'est pas nécessairement une solution de facilité quand la norme est purement disciplinaire, du moment qu'on ne perd pas de vue le bien commun en cause.

Dans le domaine moral, si on baisse les exigences à mesure que les gens ne s'y conforment plus, on finira par arriver à la décadence morale, où tout est présenté comme permis et où chacun fait sa loi à sa petite mesure.

L'Église ne peut accepter la solution qui consiste à baisser la barre. Elle n'est pas maître d'une morale qui vient de plus haut, de la loi naturelle et de l'Évangile. Elle se doit, et doit aux gens auxquels elle a à transmettre le message, de montrer les chemins qui mènent au bonheur et à la réussite de l'existence.

On maintient la barre là où elle est placée, mais on accepte qu'il y ait des échecs. Cette acceptation s'appelle la miséricorde et le pardon. L'Église est là non pour dire qu'il n'y a plus de péchés ou pour excuser les pécheurs, mais pour leur offrir le salut donné par Jésus-Christ. Jésus n'est pas venu pour nous apprendre à nous accommoder de notre médiocrité morale, mais pour nous aider à grandir moralement et spirituellement.

«Ne diminuer en rien la salutaire doctrine du Christ est une forme éminente de charité envers les âmes. Mais cela doit être accompagné de la patience et de la bonté dont le Seigneur lui-même a donné l'exemple en traitant avec les humains (*cf.* Jn 3,17). Il fut certes intransigeant avec le mal, mais miséricordieux avec les personnes» (Paul VI, encyclique *Humanae vitae*).

On n'a pas à se sentir exclu de l'Église ou condamné parce qu'on se découvre pécheur. Le Seigneur est venu justement pour secourir les pécheurs. Et c'est ce Seigneur-là que l'Église présente au monde.

Faisons travailler notre risorius

SAVEZ-VOUS ce qu'est le risorius? Vous en avez un. Vous en servez-vous?

Le risorius est un petit muscle qui s'attache aux commissures des lèvres et contribue à l'expression du rire.

Ce muscle est l'un des plus importants de notre corps. Pensez quelle face vous feriez s'il paralysait. Comment dire sa joie de voir quelqu'un sans pouvoir lui adresser un sourire? Comment exprimer le rire qui est dans votre cœur sans une figure rieuse? Si vous savez dessiner, faites un essai. Dessinez des yeux rieurs dans une face de bois. Les yeux ne rient plus. Dessinez à la place une bouche rieuse et les yeux s'animent de nouveau.

Il m'est arrivé d'aller voir à l'hôpital une vieille tante paralysée. Elle était incapable de parler et de se mouvoir. Mais elle m'a fait un sourire qui valait plus que ma visite. Le seul muscle qu'elle pouvait commander était son risorius! Par ce petit muscle, elle m'a adressé un message qui valait mieux que bien des paroles et des gestes.

Il nous arrive d'être tristes et préoccupés et de ne pas avoir le goût de sourire. La tristesse empêche de rire aux éclats, mais elle ne bloque pas nécessairement le sourire. Les personnes en deuil mêlent le sourire et les larmes quand elles accueillent l'expression de notre sympathie.

Ne ménageons pas nos sourires. «Personne ne peut s'en passer. Et personne n'est trop pauvre pour ne pas le donner. Un sourire procure du repos à l'être fatigué et rend le courage au plus découragé» (*Aujourd'hui Credo,* janvier 1998).

Sourire aux gens : ça pourrait être une résolution de carême ! *«Quand vous jeûnez, ne prenez pas un air sombre comme font les hypocrites : ils prennent une mine défaite pour bien montrer aux hommes qu'ils jeûnent»* (Mt 6,16).

Le sourire est le premier langage du petit enfant. C'est le langage qui exprime tout au long de la vie la part du cœur d'enfant que nous avons su conserver.

«Rends-nous la joie d'être sauvés» (Ps 51,14). Être sauvé, c'est se comporter comme un enfant de Dieu. Dieu notre Père guette sur nos lèvres le sourire de l'enfant.

Une forme de partage

AVEC chaque mois de mars arrive le temps de produire sa déclaration de revenus. Personne ne trouve ce moment enthousiasmant. On s'exécute par devoir, non certes par plaisir. On peut le faire quand même par conviction et dans un esprit de justice.

Personne n'a à payer plus que sa part, et on peut profiter de tous les allégements que permet la loi. Mais les impôts sont un dû, comme toute autre dette. C'est une question de justice. Parce que je profite de l'organisation communautaire de la société, je dois payer ma part de ce que cela coûte.

Si je ne le fais pas, d'autres vont payer à ma place. Si trop de citoyens pratiquent l'évasion fiscale, le pouvoir public devra faire de deux choses l'une, ou les deux à la fois : réduire les services à la population ou relever le taux d'imposition. Dans ce dernier cas, ceux qui paient honnêtement porteront une plus lourde charge.

C'est connu : des citoyens et des firmes qui ont de gros revenus s'organisent pour ne pas payer leurs impôts, en grande partie ou totalement. Ils ont recours à toutes sortes de manœuvres d'évasion fiscale, pratiquent le travail au noir ou placent leurs avoirs dans des paradis fiscaux.

En voici deux exemples. L'archipel des Bermudes, avec ses 60 000 habitants, compte 9500 compagnies, dont 1300 sont des compagnies d'assurances. Les 30 000 habitants des îles Caïmans, quant à eux, comptent 20 000 compagnies pour les servir... Dans ces paradis fiscaux, les entreprises ne paient aucun ou presque aucun impôt au gouvernement local. Ce sont des milliards qui manquent ainsi au fisc (*cf. Le Devoir,* 9-10 septembre 1995).

Il est faux de considérer comme un injuste agresseur le pouvoir public qui exige des impôts et de parler d'évasion fiscale comme d'un geste de légitime défense. L'État n'est pas un être étranger qui vient nous dépouiller. Ce que nous lui donnons nous revient et sert le bien commun dont nous profitons.

Parce que nous contribuons, nous avons le droit et même le devoir de surveiller l'utilisation des deniers publics. «Pas de taxation sans représentation.»

Le mot «partage» a cours dans une société qui ne veut pas être une foire d'empoigne. Il fait partie aussi du vocabulaire chrétien avec les mots «justice» et «charité». On peut y joindre le mot «impôts» à condition et en espérant que les sommes perçues fassent l'objet d'un juste partage dans la société.

Contribuable avec vous.

Que serait notre société
sans le bénévolat ?

•

« La source qui fait le ruisseau
n'en demande pas son salaire.
La source qui fait le ruisseau,
la source ne vend pas son eau. »

Gilles Vigneault

CHAQUE ANNÉE, nous célébrons la semaine du béné-volat, dont le sommet est la fête des grands bénévoles.

C'est une façon de dire merci à nos bénévoles, mais aussi de prendre conscience de l'importance du bénévolat dans la vie de notre société.

La société est plus qu'une organisation, elle est un être vivant. Elle se donne des moyens, des normes, et s'entend sur des valeurs, mais son fonctionnement est basé sur des rapports personnels. Quand des rapports sont personnels, personnalisés, on y trouve de la gratuité et du don.

Un service payé, une marchandise livrée à son prix s'accompagnent le plus souvent d'un geste d'attention à la personne. Ça ne s'évalue pas financièrement, ça n'est pas taxable, mais ça change tout. C'est une chose qu'on risque de perdre avec l'automatisation des services. Dans tout rapport vraiment humain, on trouve de la gratuité, quelque chose qui ne se paye pas.

Une société où il n'y aurait pas de gratuité et de bénévolat deviendrait une mécanique sans vie qui ne tarderait pas à s'enrayer.

Beaucoup de personnes donnent de leur temps gratuitement. Ce dévouement permet à bien des organismes d'exister, de progresser et d'offrir leurs services à la population.

Sans le bénévolat, nos paroisses ne pourraient pas se maintenir telles qu'elles sont. Je suis toujours impressionné par tout le temps et le travail qui y sont offerts. L'Église diocésaine aussi bénéficie grandement de la même générosité.

Pensons aux organismes de bienfaisance, aux œuvres d'aide sociale qui s'occupent de santé, d'éducation, d'aide aux démunis, aux victimes de violence, aux familles vivant des difficultés. Les clubs sociaux à but humanitaire fonctionnent avec les dons de leurs membres, mais aussi grâce au temps qu'ils y consacrent gratuitement.

Les bénévoles sont souvent des personnes retraitées qui continuent ainsi d'être actives. D'autres encore au travail consacrent une partie de leurs loisirs au bénévolat. Mais nous ne devons pas oublier non plus les personnes rémunérées de ces organismes qui ajoutent à leur tâche une importante marge de travail gratuit.

Quelqu'un a-t-il évalué au salaire minimum ce que représente tout le travail bénévole qui se fait dans notre région? On serait étonné du résultat. Mais l'effet le plus important, c'est d'avoir une société plus humaine où l'attention se porte davantage aux besoins des personnes.

Félicitations et merci à tous nos bénévoles.

« Donnez-leur vous-mêmes à manger »

ON BÉNIT souvent les repas communautaires avec la formule suivante récitée ou chantée : « Seigneur, bénissez ce repas, ceux qui l'ont préparé, et procurez du pain à ceux qui n'en ont pas. »

Cette prière montre le souci qu'on a, avant de se mettre à table, pour ceux qui n'ont pas le plaisir de partager un bon repas ou même de manger à leur faim. Notre abondance ne doit pas nous faire oublier les défavorisés qui ne reçoivent pas leur part des biens que le Créateur met à la disposition de ses enfants.

Mais si notre souci de ceux qui ont faim ne s'exprime que dans une prière, celle-ci ne vaut pas grand-chose.

« Procurez du pain à ceux qui n'en ont pas. » C'est facile à dire. Le Seigneur pourrait bien nous répondre : *Donnez-leur vous-mêmes à manger.* » C'est ce qu'il a dit, avant le miracle de la multiplication des pains, à ses disciples qui se demandaient comment nourrir la grande foule désemparée qui l'entourait.

Le Créateur a mis dans le monde assez de biens pour les besoins de tous ses enfants. Il a doté la nature vivante de fécondité et de ressources qui se multiplient de façon merveilleuse. Il nous a donné la gérance de tout cela avec le devoir de développer par notre travail les ressources de la nature. Notre bonne planète Terre est encore loin d'avoir produit tous les biens dont elle est capable.

Mais une fois que les produits sont là, il faut les partager. C'est ici que les choses ne marchent plus. Quatre-vingts pour cent des richesses du monde vont à vingt pour cent de la population, tandis que quatre-vingts pour cent de la population doivent se contenter des vingt pour cent de richesses qui restent.

Les uns reçoivent seize fois plus que les autres. Est-ce exagéré de parler ainsi? N'a-t-on pas vu récemment des dirigeants de grandes entreprises refuser de se contenter d'un revenu vingt fois supérieur au revenu moyen de leurs employés? Toute une façon de partager!

Il y a une version de la prière citée plus haut qui la complète: «Procurez du pain à ceux qui n'en ont pas et donnez le goût de partager à ceux qui en ont.»

Ces cadeaux que nous sommes

DIEUDONNÉ, Adéodat, Théodore, Nethanyaou : tous ces noms signifient « don de Dieu ». Le deuxième vient du latin, le troisième vient du grec et le dernier est en hébreu.

Don de Dieu : quel beau nom à recevoir à sa naissance ! On ne serait pas prêt à le donner à tous si c'était à rcfaire. « Lui, ce n'est pas un cadeau ! »…

Pourtant, je pense que tout être humain est un don de Dieu. « Chaque fois que naît un enfant, c'est Dieu qui fait, une fois de plus, confiance à l'humanité » (Rabindranath Tagore).

Chaque être humain qui naît est un plus pour l'humanité. Il s'agit de reconnaître ce plus et de le mettre en valeur. L'être qui semble le plus démuni, le plus « inutile », peut apporter beaucoup à ceux qui l'entourent de respect, de soins, d'amitié, ou qui contribuent à lui redonner l'estime de soi. Par exemple, ceux qui se dévouent auprès des handicapés l'expérimentent fort bien.

Nous devons reconnaître ce qui est en nous. Se mépriser soi-même, c'est refuser de voir ses propres capacités et de les mettre en valeur. C'est s'engager sur un chemin où on fait son malheur et le malheur des autres.

Oui, nous sommes tous un cadeau. Ce n'est pas de la vanité ou de l'orgueil que de le reconnaître parce que, justement, il s'agit d'un cadeau. C'est se montrer reconnaissant. *« Qu'as-tu que tu n'aies reçu ? »* (1 Co 4,7). *« Je te rends grâces pour tant de prodiges : merveille que je suis, merveille que tes œuvres »* (Ps 139,14).

Nous sommes des cadeaux, des êtres de gratuité. Ce que nous avons reçu gratuitement, nous devons le rendre gratuitement (*cf.* Mt 10,8).

Pour être vraiment un cadeau, il faut agir en cadeau : donner du service et de l'amitié ; savoir pardonner, se faire pardonner et travailler à la réconciliation autour de soi ; bâtir la justice fraternelle et la paix. C'est avoir *l'esprit du don*. C'est savoir rendre grâces pour toute la gratuité que Dieu met en nous et autour de nous.

Le vieil homme de sœur Pauline

UNE RELIGIEUSE de ma connaissance, une vraie sainte qui cachait de grandes souffrances sous sa bonne humeur et un agréable sens de l'humour, se préparait à faire sa retraite annuelle.

On lui demandait: «Sœur Pauline, qu'allez-vous faire, vous, dans une retraite, déjà sainte comme vous l'êtes?

– Je m'en vais faire mourir le vieil homme!»

Une réplique d'une grande profondeur spirituelle dite avec le sourire et une pointe de malice envers le vocabulaire religieux encore trop masculin.

Être disciple de Jésus-Christ, ce n'est pas seulement accueillir son enseignement et observer ses commandements. Il faut, certes, écouter la Parole de Dieu et la mettre en pratique (*cf.* Lc 8,21). Mais cette écoute et cette pratique prennent leur source dans une réalité plus profonde. Il faut *«revêtir le Christ»*, se laisser investir et transformer de l'intérieur par son Esprit (*cf.* Ga 3,27).

Il s'agit d'une nouvelle naissance (*cf.* Jn 3,5), l'accueil d'une vie nouvelle qui fait de nous des enfants de Dieu et nous donne des capacités surnaturelles qui nous mettent en relation directe avec lui.

Dans cette vie nouvelle s'épanouissent la connaissance de Dieu, l'amour de Dieu et du prochain, la prière, le dévouement, l'oubli de soi, le pardon, la pauvreté du cœur, la joie... En accueillant en soi-même Dieu et ses dons, on fait de la place, on fait disparaître le *vieil homme,* ce qui, en nous, est voué au vieillissement et à la tristesse : ça s'appelle le péché et tout ce qui y conduit.

Pour qu'un jardin puisse produire de bons fruits, il faut en faire disparaître les mauvaises herbes. Ce sarclage ne sera terminé qu'à la fin du monde car l'ivraie est tellement mêlée au bon grain (*cf.* Mt 13,29).

Le *vieil homme* et l'ivraie tenace, c'est la même chose.

C'est pourquoi même une sainte comme sœur Pauline a des petites repousses à surveiller.

Vous et moi, non ?

Une histoire de brûlots en hiver

DANS un grand froid de février, quelqu'un me saluait en disant : « Y a pas de brûlots ici, ce matin ! »

L'allusion hors-saison à cette bestiole m'a quand même rappelé une belle histoire d'amour.

Cyprien et Clorinthe, mes parrain et marraine, formaient un couple d'octogénaires très uni. Ils s'échangeaient régulièrement de délicates attentions, des mots aimables et de discrètes déclarations d'amour.

Un jour, Clorinthe posa à Cyprien la question suivante :

« Cyprien, m'aimes-tu ?

– Tu sais ben que oui !

– Combien gros m'aimes-tu ? Gros comme le soleil ?

– Ben non !

– Gros comme la terre ?

– Pas tant que ça.

– Alors, gros comme la maison ?

– Non plus.

– Gros comme le poêle ?

– Non.

– Alors, combien gros m'aimes-tu ?

– Je t'aime gros comme une crotte de brûlot. »

Clorinthe racontait avec plaisir cette conversation. Car elle avait bien saisi l'humour de son Cyprien, qui lui disait, en somme: l'amour, ça ne se mesure pas avec un galon. C'est plus grand que tout ce qu'on peut voir. Ça emplit le cœur humain, qui est plus grand que l'univers.

Si tu as su aimer et te laisser aimer, tu as réussi ce qui est le plus important dans ta vie. Tu as vécu en plénitude.

Mais ce bonheur-là, ce n'est pas une chose qui te tombe dessus et qui s'accroche à toi, quoi que tu fasses. Tu dois le chercher, l'accueillir, en avoir soin, le retrouver si tu l'as échappé.

En hiver, les brûlots sont hors-saison. Mais l'amour est de toutes les saisons.

Heureux ceux qui, comme Clorinthe et Cyprien, ont eu soin de leur amour. Celui-ci a traversé de nombreuses saisons, il a survécu à tous les hivers et s'est renouvelé sans cesse dans un perpétuel printemps.

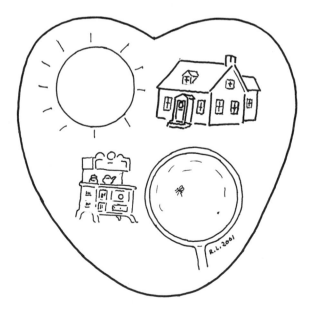

•

Ne savoir ni lire ni écrire

•

J'AI DEVANT LES YEUX un texte en langue arabe. L'écriture est belle. Elle se déploie en courbes harmonieuses, agréables à voir. Ce texte peut me dire les choses les plus utiles, les plus agréables. Il peut m'offrir un message de vérité et d'amour. Mais il ne m'atteint pas parce que je ne puis le lire. C'est la même chose pour moi avec le chinois, le japonais, l'inuktitut... ou les ordonnances de mon médecin!

Mais si c'était la même chose avec la langue que je parle et que j'entends... Devant ce texte en arabe, je puis deviner ce que ressent l'analphabète devant une page de journal, un panneau de circulation, le nom d'un produit sur un paquet, un avis du gouvernement.

Il y a encore des millions d'analphabètes dans le monde. Des populations entières n'ont pas accès à l'apprentissage de la lecture et de l'écriture. Mais il s'en trouve aussi parmi nous. Ils sont plus nombreux que nous pourrions le croire, car ils cachent cette misère qui les gêne.

D'aucuns s'en tirent pas trop mal parce qu'ils sont intelligents, ingénieux, doués d'une mémoire qui emmagasine tout ce que nous confions à l'écriture. Mais la plupart des analphabètes sont bloqués dans leur développement. Ils n'ont pas accès au travail, à la culture et à bien des loisirs. «La faim d'instruction n'est pas moins déprimante que la faim d'aliments. Un analphabète est un esprit sous-alimenté» (Paul VI, *Populorum progressio,* n° 35).

Ne savoir ni lire ni écrire, c'est aussi une manière d'être enchaîné, entravé; c'est une forme d'esclavage, de manque de liberté. Celui qui ne sait pas lire peut-il prendre la route ou le métro pour une destination qui ne lui est pas familière? Il est souvent, sinon constamment, dépendant des autres.

Il faut encourager et appuyer toutes les personnes et les groupes qui se dévouent dans le monde pour scolariser les populations. Nos missionnaires et nos coopérants de toutes sortes sont ainsi nos mandataires dans le tiers monde. Nous devons les soutenir.

Quant aux gens de chez nous, s'ils ont raté l'instruction au temps de l'école, ce ne fut pas toujours de leur faute. Quand on est défavorisé, on n'est pas motivé pour apprendre. Mais, faute ou pas, notre société se doit de les aider à se rattraper, et nous nous devons de favoriser tous les programmes qui vont en ce sens, même si ça vient alourdir nos charges de contribuables.

Sacré Charlemagne !

D'APRÈS LA CHANSON, c'est l'empereur Charlemagne qui a inventé l'école. Les écoliers lui en veulent peut-être les matins où il leur est difficile et fastidieux de se lever tôt et de se préparer à prendre l'autobus scolaire.

Mais beaucoup seraient tristes s'il n'y avait plus d'école. Des enfants, mais surtout des parents !

Pourtant, on en est là encore dans plusieurs endroits du monde aux prises avec la guerre, le déplacement et la désorganisation des populations. La pauvreté a souvent comme résultat que beaucoup d'enfants n'ont pas accès à l'école.

L'école est une belle invention. Elle a toujours existé, même avant Charlemagne, sous diverses formes. Saint Augustin (354-430) se plaignait des coups de règle que le précepteur distribuait généreusement aux écoliers en défaillance de mémoire.

L'école est une des institutions qui permettent à l'humanité de ne pas recommencer à zéro à chaque génération. C'est là, surtout, que chaque humain se fait offrir les acquis des générations dans le domaine de la culture, des sciences et des valeurs.

On n'a pas à démontrer l'importance de ce qu'on reçoit à l'école. Les éducateurs y exercent une très grande responsabilité. Il faut le reconnaître, les encourager et les appuyer.

Mais l'école n'est pas que l'affaire des éducateurs professionnels. Elle est sous la responsabilité de toute la société, des parents en particulier. On critique facilement l'école. On lui attribue bien des torts que toute la société doit assumer. L'école n'est pas une île. À tous les niveaux, elle connaît les faiblesses et les limites de la société. Comme tout le monde, les éducateurs et les écoliers subissent les influences du milieu.

On est porté à tout demander à l'école. Il faut que les autres instances fassent leur part. Mais ce qu'on tente de transmettre aux enfants dans les écoles trouve-t-il son écho dans toutes les familles ? Tous les écoliers ne trouvent pas également à la maison l'appui et l'encouragement dont ils ont besoin. Ceux qui sont défavorisés dans leur famille le sont souvent aussi à l'école. Qu'est-ce que notre société est prête à faire pour donner une chance égale à tous les jeunes ?

Un million et demi de citoyens, enfants, jeunes et adultes, prennent chaque jour le chemin de l'école. Ils ont droit au meilleur de ce qu'on a le moyen de leur offrir. C'est une priorité pour notre société. Doit-on faire revenir Charlemagne pour ajuster son invention aux besoins actuels ?

Jouer à cache-cache

LE PHILOSOPHE juif Martin Buber raconte l'histoire d'un petit garçon qui pleurait à chaudes larmes. Un saint tsaddik (un homme de Dieu, dans la tradition juive) s'approcha de lui et lui demanda la cause de son chagrin.

«On ne veut pas jouer avec moi», lui dit le gamin. «Nous jouons à la cachette. Mais quand je me cache, personne ne me cherche et on m'oublie là.»

Le saint homme se mit lui aussi à pleurer: «Dieu dit la même chose que ce garçon. Il se cache et personne ne veut le chercher.»

Dieu se cache. Il refuse de se montrer de façon évidente pour nous laisser libres devant lui. Pour percevoir sa présence et son action, il faut avoir *«un cœur attentif»* (1 R 3,9).

La vie des mystiques, des chercheurs de Dieu, est comme un jeu de cache-cache. On peut interpréter ainsi le Cantique des cantiques, ce beau poème d'amour qui est un joyau de l'Ancien Testament. Dieu se cache pour que le désir de le rencontrer se creuse en nous et que l'espace d'accueil soit en nous plus grand et plus profond.

D'ailleurs, ce n'est pas à l'extérieur qu'il se cache. Il réside au plus profond de nous-mêmes. «Plus intérieur que mon espace intérieur le plus intime», disait saint Augustin.

Les mystiques jouent à cache-cache avec Dieu. Pas seulement les grands, qui sont canonisés, comme saint

Augustin, les deux Thérèse, saint Jean de la Croix, etc., mais des gens comme vous et moi que l'on croise tous les jours.

Essayons cela. Cherchons-le un peu. N'ayons pas peur de nous livrer à cet exercice. Posons-nous des questions sur lui. Il ne se laisse pas chercher en vain. «Tu ne me chercherais pas si tu ne m'avais déjà trouvé» (Blaise Pascal).

On a oublié Alexandre !

ON A PRÉPARÉ une fête surprise à Alexandre, à cause d'une importante promotion qu'il vient d'avoir.

On a tout prévu: l'endroit bien aménagé, le cadeau, la bouffe, le vin de la réjouissance. Certains et certaines y sont même allés d'une nouvelle toilette pour donner de l'importance à l'événement.

On a surtout bien observé la consigne du silence pour ménager l'effet de surprise. Mais on a oublié de vérifier la disponibilité d'Alexandre, qui vit seul. Et, à la dernière heure, quand on est allé le quérir, Alexandre était introuvable, sorti pour une destination inconnue. La fête, qui était déjà organisée, s'est faite sans lui.

Une chose pareille est à peine croyable, mais ça arrive. Il y a quelqu'un qu'on fête comme ça parfois. Vous devinez qui ?

Dès le mois de novembre, on commence à préparer la fête de Noël. La publicité bat son plein. Les arbres de Noël sont à vendre, la marchandise des fêtes est là.

Se garde-t-on du temps pour réfléchir sur le sens des célébrations de Noël? Pense-t-on à inviter un peu dans sa vie et dans ses réjouissances Celui qui a déclenché tout ce branle-bas?

Jésus-Christ ne nous interdit pas de célébrer, de nous rassembler pour savourer ensemble notre amitié, d'échanger des présents comme signe d'affection et de considération. Jésus-Christ aime nous voir fêter. La fête fait partie du culte que nous rendons à Dieu et des activités qui rassemblent les croyants. C'est pour ça qu'il est bien déçu quand on oublie de l'inviter.

Je vous souhaite de joyeuses fêtes de Noël. Pour qu'elles soient vraies et réussies, n'oubliez surtout pas d'inviter le Héros de la fête.

La prière des simples

UNE ÉCOLIÈRE me disait la honte qu'elle avait éprouvée quelques jours auparavant dans un salon funéraire, alors qu'elle avait été incapable de se joindre à la prière des parents et amis de la personne défunte : on y avait récité le chapelet. «Pourquoi ne m'a-t-on pas montré cette prière-là?» disait-elle.

Oui, pourquoi? Ce serait une prière non adaptée aux jeunes, aux gens d'aujourd'hui, une dévotion démodée... «Ce qui se démode, c'est la mode» (Gustave Thibon). La prière du chapelet n'est pas une mode, mais une tradition vivante qui se transmet depuis plusieurs siècles et qui a des racines aussi anciennes que l'Église elle-même. Ne décidons pas à la place de la génération montante que la dévotion mariale, avec sa principale manifestation qu'est le rosaire, ne leur dit rien. Les jeunes ont le droit d'être mis au courant de cette tradition.

Le rosaire est une prière pour les simples. Qui va oser refuser d'être simple devant l'Évangile? À ceux qui se prétendent trop savants et trop initiés pour recourir à la prière des simples, bien des choses vont demeurer cachées (*cf.* Mt 11,25). L'Esprit qui s'exprime en nous (*cf.* Rm 8,26) ne prend pas les chemins compliqués de nos prétentions humaines.

Le rosaire est une prière du cœur, où notre attention porte non pas sur des idées ou de savantes considérations, mais sur la mère de Dieu, qui nous aide à entrer dans le mystère de son fils et à saisir sa présence.

On y répète toujours les mêmes paroles? Bien oui! Quand on respire, on répète toujours le même geste. Mais qui a inventé une chose plus compliquée et plus savante pour remplacer la respiration? Dans la prière du cœur, on prie comme on respire. On atteint la prière contemplative, qui se situe bien au-delà de nos discours.

C'est ainsi que le rosaire rejoint et continue la grande tradition des contemplatifs de tous les temps.

Ne cachons pas ce trésor aux jeunes qui, plus que nous le pensons, sont avides de contemplation. Découvrons-le avec eux par notre témoignage.

« Pauvre elle ! »

Dans un groupe de réflexion, au cours d'une retraite de Jean Vanier, une femme nous disait sa difficulté de vivre avec une autre personne.

«Ce n'est pas à cause de ses défauts, nous disait-elle. Elle n'a que des qualités, elle a trop de qualités. Elle excelle en tout, elle sait tout faire; on ne peut rien lui apprendre. Elle n'a besoin de personne.

– Pauvre elle!»

Celui qui a lancé cette remarque est un jeune homme handicapé physique profond, très dépendant du secours d'autrui, mais qui a assumé sa condition.

«Elle n'a besoin de personne: pauvre elle!»

Quelle vérité profonde en cette courte remarque!

Celui qui est autosuffisant se contente de ce qu'il est, de ce qu'il a; il ne peut recevoir des autres, il ne peut grandir à leur contact. Est-il capable de se laisser aimer? Est-il capable d'aimer?

Est-il capable d'accueillir l'aide de Dieu, la gratuité de son salut? Pas besoin de personne, pas besoin de Dieu. S'il est croyant, sa relation à Dieu s'établit sur la justice, le mérite, le donnant-donnant. Son cœur est fermé à sa tendresse, à son don gratuit.

La Bonne Nouvelle est pour les pauvres (*cf.* Lc 4,18-19). Les pauvres, ce sont ceux qui ont quelque chose à attendre; qui ont besoin des autres et qui le savent; qui sentent le besoin de s'entraider, de s'unir; qui sont ouverts au geste gratuit, tant pour recevoir que pour donner.

Ce n'est pas la misère que le Seigneur a béatifiée, ce n'est pas non plus la pauvreté; ce sont les pauvres. Il les dit bienheureux non parce qu'ils manquent du nécessaire, mais parce que leur cœur est accueillant; leur porte est ouverte à ceux qui désirent vivre l'entraide fraternelle, et c'est avec ceux-là que le Sauveur se présente.

Destination *nowhere*

Par un bel après-midi d'été, je regardais les embarcations se promener sur un lac. D'après le comportement de plusieurs, il semble bien que faire du canot à moteur, c'est ne pas trop savoir où on va, mais y aller à fond de train.

Ces allées et venues des embarcations, cette course sans destination, à grands frais, à forte dépense d'énergie et dans un vacarme étourdissant, ressemblent à la vie que nous risquons de mener si nous ne prenons pas la peine de réfléchir et de prier.

Quel sens a la vie? Où est-ce que nous mène l'enfilade rapide des jours, des semaines, des mois et des années, à travers l'agitation du travail, des loisirs, de nos relations, des joies et des peines?

Quel est le sens de notre vie? Moins on le sait, on dirait, plus on s'agite, plus on est pressé; et quand on s'arrête, il faut du bruit et des images, des distractions, pour tuer le temps.

Dépenser de l'essence à tournoyer en rond, en zigzag et en huit sur un lac, ça défoule peut-être, ça donne l'ivresse de la vitesse, le sentiment de puissance. À la longue, ça manque d'imagination, ça pollue l'environnement et ça peut être dangereux. Mais dépenser, sans savoir pourquoi, ses énergies vitales, sa vie, le temps qui nous est donné une seule fois, c'est pas mal plus grave. C'est tragique, je trouve.

La vie de trop de gens ressemble à la course en zigzag du lièvre poursuivi par un renard. Qui est-ce qu'on fuit comme ça en essayant de le dérouter ? Soi-même ?

Notre foi nous donne un but, donne un sens à notre vie ; elle nous montre le meilleur chemin, elle nous donne les moyens de vaincre les obstacles, l'espérance pour durer à travers les difficultés.

Notre but, c'est d'aimer comme Dieu, qui nous a faits à son image ; notre chemin, c'est d'apprendre à aimer.

Nous trouvons le Seigneur au bout du chemin : « *Je suis la vérité et la vie.* » Mais il se fait aussi notre compagnon de route, notre guide, notre entraîneur, notre guérisseur : « *Je suis le chemin* » (Jn 14,6).

Trop beau mais aussi trop tard

IL N'Y A PAS que les génies qui ne sont reconnus qu'après leur mort. La plupart des gens n'entendent pas, de leur vivant, une fraction des louanges qu'on fait d'eux autour de leur tombe. Puis on dirait qu'à ce moment-là on sent le besoin de se rattraper tout d'un coup et on exagère. On en dit trop et on le dit trop tard. Une fois embaumé, un vieux snoreau devient un petit saint.

C'est pendant que les gens vivent qu'il faut leur dire et leur montrer qu'on les aime et qu'on les admire. Ils ont besoin de se voir et de se reconnaître dans le reflet que nous leur renvoyons d'eux-mêmes.

Il y a des gens, sans doute, qui n'admirent personne plus qu'eux-mêmes ; ils sont bien capables de se complimenter tous seuls. Mais la plupart d'entre nous ont besoin de l'appréciation des autres pour connaître vraiment leurs qualités et reconnaître la valeur de ce qu'ils accomplissent. Alors, pourquoi cette pudeur, cette réticence ou cette négligence à nous complimenter mutuellement et à nous encourager ainsi à faire beau et bien ?

« Je ne te hais pas » au lieu de « Je t'aime ». « C'est pas laid, ce que tu as fait » au lieu de « Comme c'est beau ! »

La plus grande pauvreté en ce monde, c'est de ne pas être aimé ou de ne pas savoir qu'on l'est. *« Je vous donne un commandement nouveau, nous dit Jésus : aimez-vous les uns les autres. Comme je vous ai aimés, vous devez aussi vous aimer les uns les autres. Si vous avez de l'amour les uns pour les autres, tous reconnaîtront que vous êtes mes disciples»* (Jn 13,34-35).

L'amour que le Seigneur nous commande ne se limite pas aux bons sentiments. Il faut manifester ceux-ci dans des paroles, mais surtout dans des faits, des attitudes : la joie exprimée de se rencontrer, le respect, l'entraide, le partage, la tendresse pour les plus petits et les plus négligés. *« N'aimons pas en paroles et de langue, mais en actes et dans la vérité»* (1 Jn 3,18).

Ce n'est pas quand la mort a fermé les yeux et les oreilles de ceux qu'on aime ou qu'on admire qu'il faut commencer à le dire et à le montrer. Donnons-nous cette charité et cette justice entre voisins. Nos souvenirs concernant nos disparus nous parlent d'êtres qui existent encore dans une autre vie : notre foi nous donne cette conviction. Mais les souvenirs que nous conservons d'eux seront meilleurs si nous leur avons exprimé et montré nos sentiments avant leur départ.

Le feu de l'amour

«L'ENFER, C'EST LES AUTRES.» On a utilisé cette phrase de Jean-Paul Sartre, en la changeant, pour en faire le titre d'une émission de télévision: *L'Enfer, c'est nous autres*[1].

C'est bien la seule fois où on entend parler de l'enfer aujourd'hui. Pourtant, l'Écriture ne manque pas de nous avertir du sort malheureux qui attend ceux qui auront, d'une façon libre et obstinée, refusé l'amour de Dieu.

«Dieu est trop bon, dit-on, pour avoir fait un enfer.»

C'est justement parce que Dieu est bon qu'il y a un enfer. Mais ne nous figurons pas Dieu en train de construire un lieu de châtiment pour ses enfants rebelles, avec des supplices affreux et éternels. L'enfer n'est pas un lieu, mais un état, une manière d'être (Jean-Paul II).

Parce que Dieu est bon et que son amour pour nous est infini, c'est un grand malheur que de refuser cet amour de façon libre et obstinée.

La peine de l'enfer n'est pas un feu matériel comme celui que nous connaissons. Le feu est un symbole qui se rapporte à l'amour.

L'amour purifie le cœur en éliminant tout égoisme et tout attachement contraire, tout comme le feu purifie les métaux en éliminant les scories. La souffrance purifie quand elle est acceptée dans l'amour. L'amour lui-même

---

1. Aujourd'hui retirée des ondes, cette émission était animée par Julie Snyder.

fait souffrir tant que l'être aimé n'est pas rejoint parfaitement. «Car sans peine, il n'est point d'aimer» (Gilles Vigneault). La souffrance dans le progrès spirituel des saints et des mystiques est une histoire d'amour et de feu intérieur. La peine du purgatoire est de même nature.

L'enfer est, lui aussi, une histoire d'amour, comme une peine d'amour: l'amour refusé avec obstination, dans la mystérieuse liberté humaine. Ceux qui ont vécu une grande peine d'amour comprennent cela. Cette peine est d'autant plus grande quand on se sait responsable de la perte de l'amour. C'est encore pire quand on vit cela dans la haine, le ressentiment et l'esprit de vengeance.

L'enfer ressemble à cela. C'est de l'amour refusé, l'envers de l'amour.

Ce ne peut être qu'un grand malheur que de refuser l'amour et les dons de Celui qui nous a créés pour que nous soyons heureux. Mais personne n'en arrive à cet échec par erreur ou par malchance. L'enfer n'est pas un gouffre qui aspire ses victimes. Entre l'enfer et les humains, il y a le pardon de Dieu et son aide, avec le ministère de l'Église, des anges et des saints.

La meilleure façon d'éviter le chemin de la perdition, c'est d'aller sur l'autre chemin, celui de l'amour, du don, du dévouement, de la fidélité, de la vérité, où nous guide et nous précède notre Sauveur.

La main qui accueille le don de Dieu

•

IL M'ARRIVE d'avoir des distractions en donnant la communion. Mais s'agit-il vraiment de distractions?

Après avoir échangé un bref regard avec la personne qui vient recevoir la communion, je regarde sa main tendue. Quel geste expressif et quelles mains éloquentes, souvent!

La main tendue pour recevoir le Corps du Christ, la main ouverte pour accueillir le don de Dieu: le geste dit plus que toutes les paroles avec lesquelles on essaie de l'expliquer.

L'Église a bien fait, après Vatican II, de nous proposer de nouveau cette manière de faire des premiers siècles. Il s'agit plus que d'une question pratique: il est plus facile, il est vrai, de distribuer la communion dans la main que sur la langue. Mais c'est surtout une question de signification. Il faudrait que les pasteurs rappellent de temps à autre le symbolisme de ce geste et la façon de le faire: une main tendue, ouverte, pour accueillir l'hostie et l'autre pour la saisir. Un geste plein de respect et de reconnaissance pour l'immense don offert.

Toutes les mains parlent. Mais il y en a qui sont plus expressives que d'autres. Elles disent tout le travail accompli et tout l'amour donné. Ces mains délicates et douces qui soignent, consolent, donnent de la tendresse. Ces belles grosses mains de travailleurs avec des gerçures et des cicatrices, capables aussi d'exprimer la tendresse. Pensez-vous que Celui qui est venu nous dire la tendresse de son Père et qui s'est écorché les mains au travail n'est pas heureux d'être accueilli dans des mains avec lesquelles les gens gagnent leur vie, se dévouent, se font des signes, se témoignent de l'amitié, de l'amour ?

À quelqu'un qui disait que c'est un manque de respect d'accueillir le Corps du Christ dans des mains profanes et qui ont péché, on a répondu : «Votre langue est-elle plus sainte que vos mains et est-elle moins pécheresse ?»

Mais il reste qu'il faut respecter le choix de ceux qui préfèrent recevoir la communion sur la langue. Ils ont leurs raisons et c'est leur droit.

On gâte les meilleures pratiques à vouloir en faire des absolus.

Le mérite bien compris

LE SALUT est un don de Dieu. Si nous sommes sur le chemin du salut, nous n'avons pas à nous en glorifier ni à nous comparer à d'autres qui ne semblent pas suivre le même itinéraire. Nous avons à remercier Dieu.

Le salut est gratuit. C'est l'amour gratuit de Dieu qui nous sauve. Nous sommes justifiés gratuitement dans la foi, par la grâce de Dieu. «*Tous ont péché, sont privés de la gloire de Dieu, mais sont gratuitement justifiés par sa grâce en vertu de la délivrance accomplie en Jésus-Christ*» (Rm 3,24).

Mais on n'y entrera pas sans s'être préparé, sans porter la «*robe nuptiale*» (Mt 22,11-13), c'est-à-dire sans avoir disposé son cœur à accueillir l'amour de Dieu.

Le catéchisme parle de mérites qu'on accumule. Mais ces mérites ne sont pas un compte en banque qui nous attend comme un dû.

Le mérite est l'ouverture de notre cœur qui accepte les dons de l'amour de Dieu. Cette ouverture, cette possibilité d'accueil grandit à mesure que nos activités et nos prières s'ajoutent les unes aux autres.

Là encore, ce n'est pas surtout par le nombre qu'on progresse, comme une caisse enregistreuse calcule des montants. On progresse par la qualité et la ferveur, car les signes et les gestes d'amour font grandir l'amour.

Le salut est gratuit. Mais cela ne veut pas dire qu'on n'a pas à s'en occuper. Il ne revient pas au même de faire de son mieux ou de son pire. Je ne peux pas juger les autres qui n'ont pas l'air de marcher dans la bonne voie, car on ne sait jamais ce qui se passe dans leur cœur, et Dieu, qui les aime, ne les a pas laissés tomber. Mais cela ne veut pas dire que je puis m'autoriser à aller errer avec eux en me disant que, après tout, Dieu est bon et que nous allons tous aboutir à la même place. L'amour et l'égoïsme peuvent-ils cohabiter?

«Au soir de la vie, nous serons jugés sur l'amour», nous dit saint Jean de la Croix. Il nous faudra avoir gardé l'amour ou l'avoir retrouvé dans l'accueil du pardon de Dieu.

Le péril de l'insignifiance

RÉCEMMENT, une personne de ma connaissance est allée voir une de ses nièces de seize ans hospitalisée dans un centre de santé en dehors de notre région.

Elle a trouvé la jeune fille en larmes. Des membres du personnel hospitalier, se rendant compte qu'elle était vierge, s'étaient moqués d'elle et l'avaient pratiquement traitée de niaiseuse. La visiteuse, qui n'a pas la langue dans sa poche et ne cache pas de quel bois elle se chauffe, n'a pas manqué d'attraper les responsables de cette malheureuse histoire et de leur servir une leçon de savoir-vivre.

Les personnes qui travaillent dans les services publics n'ont pas à faire la morale aux gens. Les patients qui demandent qu'on prenne soin de leur santé ne s'attendent pas de recevoir un sermon en plus ou à la place, à moins qu'une valeur morale ne soit en lien direct avec leur santé.

Les serviteurs du public n'ont pas à faire de la morale, et pas plus de l'antimorale à partir du rejet des valeurs traditionnelles. Il y a là une faute professionnelle contre laquelle on aurait le droit d'entreprendre des recours.

Notre société est-elle en train de devenir de plus en plus insignifiante? L'insignifiance, c'est le manque de signification. Le manque de signification le plus grave, c'est celui qui concerne le sens de la vie. Quel but se donne-t-on dans la vie? Où mène la recherche du bonheur? Quelles balises se donne-t-on? Quelles valeurs privilégie-t-on? Quelles attitudes et quels moyens prend-on pour se respecter soi-même et respecter les autres?

On peut juger d'une population en voyant de quoi elle rit. Certains de nos soi-disant comiques n'ont pas d'autres sujets pour faire les drôles que la religion et le sexe. Ils assaisonnent leurs trouvailles du gros sel qu'est le sexisme macho ou l'impiété religieuse. À voir les cotes d'écoute qu'obtiennent certaines émissions télévisées avec leurs pénibles drôleries, on se questionne sur le niveau culturel et moral de l'auditoire.

L'humour bien placé est un signe de santé. On peut faire de l'humour pour se moquer de la tartuferie, pas de la foi; on peut caricaturer le pharisaïsme, pas l'honnêteté; et je ne vois pas ce qu'il y a de drôle dans la fidélité de l'amour.

Dans notre société pluraliste, chacun a le droit de faire ses choix moraux, du moment qu'ils ne nuisent pas à autrui ou au bien commun. Chacun a le droit d'afficher ses convictions. Respecter les valeurs et les convictions des autres est un devoir; mais c'est un devoir non moins impérieux de faire respecter les siennes. Autrement, on plie devant la médiocrité ambiante.

Des jeunes sont gênés de rester vierges avant le grand amour de leur vie; des écoliers ont honte d'être studieux, de réussir et de passer pour «bolés». Ils subissent une pression sociale qui refuse l'excellence et les valeurs qui ont fait progresser l'humanité à travers l'histoire.

Si on ne réagit pas, si on ne fait pas face à cette situation, c'est le règne de la médiocrité qui s'installe avec l'insignifiance obligatoire. Et ça, pour une collectivité, c'est le commencement de la fin.

S'endimancher

AU COURS d'une rencontre avec des jeunes, un garçon de onze ans environ me pose cette question : «Y a-t-il encore dans les églises les petites boîtes où on va s'excuser?»

Ce garçon intelligent a trouvé par lui-même une expression savoureuse pour désigner le confessionnal. Le mot «confessionnal» est à cent lieues de son vocabulaire, comme la chose qu'il désigne est étrangère à son expérience de vie.

Il en va de même pour beaucoup d'expressions de notre patrimoine religieux. Même ceux qui les emploient encore abondamment sous forme des sacres et de jurons ne savent souvent plus très bien à quoi ces mots font référence. Un enfant à qui on faisait visiter une église se montrait étonné qu'on ait donné des noms de «sacres» à tout ce qu'on lui faisait voir.

Le dimanche est devenu pour la plupart des gens un jour comme les autres, sans messe dominicale, avec les commerces ouverts et toutes les courses pour diverses activités. Bien des jeunes n'ont pas connu autre chose. Demandez-leur de s'endimancher. Ils ne savent pas ce que cela signifie puisque plus rien ne distingue pour eux le dimanche des autres jours.

Pourtant, c'est si bon de mettre ses habits de fête et d'endimancher surtout son cœur pour se dire que ce jour n'est pas comme les autres, qu'il est une halte dans la succession monotone des semaines pour penser à soi, à sa famille, à l'amitié et au sens de sa vie.

Nous sommes en train de perdre une bonne partie de notre patrimoine culturel religieux, avec ses pratiques et ses coutumes. Des jeunes nous le reprochent quand ils en font par eux-mêmes la redécouverte.

L'univers religieux a beaucoup marqué notre patrimoine culturel, les arts, la littérature, le langage. La méconnaissance du patrimoine religieux est un obstacle à la compréhension même du langage profane tout pénétré de la référence religieuse. Cette méconnaissance constitue un fossé culturel entre les générations.

Mais cette ignorance est le signe d'une autre réalité plus grave encore. Est-ce que la foi peut se maintenir sans des pratiques et un environnement culturel?

Nous sommes placés devant une immense tâche de réévangélisation.

Si on veut avoir un avenir

•

> *« La vie ne peut être comprise qu'en regardant le passé ; mais elle ne peut être vécue qu'en regardant l'avenir ».*
>
> Søren Kierkegaard

ON VIENT du passé et on s'en va vers l'avenir. Comme vérité de La Palice, on ne peut dire mieux. Mais il faut parfois se rappeler des vérités évidentes.

Les uns voudraient retourner dans le passé, car ils ne trouvent que des défauts dans le présent. Les autres voudraient se jeter vers l'avenir en oubliant ou en sacrifiant les acquis du passé, les valeurs morales et culturelles qui nous ont amenés jusqu'ici.

Notre époque devrait pourtant être celle qui compte le plus à nos yeux, puisque c'est la seule sur laquelle nous pouvons agir.

Elle est le lien entre le passé et l'avenir. On doit pouvoir tenir ces deux bouts de l'existence. Autrement, le présent ne repose sur rien et il ne nous mène nulle part.

Notre passé, c'est notre histoire. On n'y trouve pas que des belles pages, mais on n'a pas à la rejeter ni à en avoir honte. Ce serait un malheur de l'oublier. Un peuple qui perd la mémoire est aussi mal pris qu'un individu auquel cela arrive.

Notre héritage, ce sont aussi les valeurs culturelles et morales qu'on nous a léguées. Là encore, il faut faire une différence entre ce qui relève d'un temps révolu ou d'attitudes exagérées et ce qui appartient aux acquis dans lesquels l'humanité progresse à travers les générations et les siècles.

Avons-nous assez enseigné l'histoire aux générations montantes? Leur avons-nous transmis nos valeurs culturelles et morales? Leur avons-nous passé un flambeau de la foi bien vivant et éclairant?

Les jeunes ont droit à cela. Ils le prendront ou le refuseront, ce sera à eux de décider. Mais nous n'avons pas le droit de conclure à leur place qu'ils n'ont pas besoin de cela.

Et la meilleure façon de leur passer notre histoire, c'est de la connaître nous-mêmes et d'en être fiers. La meilleure façon de leur vendre nos valeurs, c'est de nous montrer heureux d'en vivre nous-mêmes.

Un peuple a le droit de se donner des lois pour protéger sa langue et ses autres acquis. Mais rien ne remplacera la conviction des citoyens qui aiment leur patrimoine et s'engagent personnellement pour le valoriser.

Au-delà des législations légitimes et nécessaires, c'est sur les convictions, la fierté et l'engagement de chacun que repose notre avenir collectif.

●

Se souvenir

●

NOVEMBRE est le mois du souvenir. Le 1ᵉʳ de ce mois, l'Église célèbre la fête de tous les saints. Nous incluons dans cette fête non seulement toutes les personnes dont la piété populaire et l'autorité de l'Église ont reconnu officiellement la sainteté, mais aussi tous les défunts qui sont déjà auprès de Dieu. Nos parents défunts, nos ancêtres, nos amis disparus font partie de la foule innombrable d'élus pour lesquels nous rendons grâces en ce jour de la Toussaint.

Le 2 novembre, c'est la commémoration de tous les fidèles défunts.

Le 11 est l'Armistice – ou «jour du Souvenir», appelé ainsi sous l'influence de l'anglais *Remembrance Day* – pour nos concitoyens et concitoyennes qui ont donné leur vie pour la patrie sur le champ de bataille.

Se souvenir de nos disparus est un devoir d'amitié et de reconnaissance. Les noms de nos disparus sont gravés sur les monuments funéraires. Il faut aussi les garder écrits dans nos mémoires et dans nos cœurs. Les commémoraisons de novembre nous rappellent ce devoir.

Nos morts ont besoin de nous. Ils ont besoin de notre souvenir actif pour ne pas être oubliés, effacés de l'histoire. Mais il arrive aussi qu'ils ont besoin de notre solidarité comme disciples de Jésus-Christ.

Nous parlons ici des élus qui en sont à l'étape du purgatoire. Il s'agit d'une étape, non d'une punition, une étape de purification. Le péché pardonné laisse parfois des traces dans le cœur : celui-ci a besoin de guérison, de purification. Pour paraître face à Dieu et pour devenir un pur cristal qui laisse pénétrer la lumière de Dieu, l'âme doit se départir de tout ce qui fait écran à cette lumière : égoïsme, orgueil, manque de justice et d'amour envers les autres. Dieu est amour, totalement amour. Les sauvés qui sont en sa présence lui ressemblent, en infiniment plus petit. Mais dans ce petit miroir de Dieu, il n'y a place que pour l'amour.

Celui qui entre au paradis doit libérer son âme de tout ce qui n'est pas pur amour. Il en voit lui-même la nécessité. Il brûle en lui-même au feu de l'amour tout ce qui n'est pas amour. Notre solidarité dans l'amour peut les aider à traverser cette étape de purification.

On voit ainsi que, dans la foi chrétienne, on n'a pas besoin de karma, de réincarnation pour arriver, à la suite d'une série d'existences successives, à être présentable à la fête éternelle avec Dieu.

Le mois du souvenir est aussi marqué par l'espérance. En novembre, en voyant disparaître les fleurs et les feuilles, on sait que, sous la neige et dans le froid, se prépare un printemps. Ainsi, le souvenir de nos disparus s'accompagne de l'espérance en la vie future. Novembre est bien plus le mois des vivants que le mois des morts.

Riquet à la houppe

RIQUET est un personnage des contes de Perrault. Ce jeune prince, né difforme et affreusement laid, était doué de tant d'esprit qu'on finissait par oublier sa laideur. Il était né avec une houppe de cheveux sur la tête, comme des jeunes s'en font faire encore aujourd'hui. C'est pourquoi on l'appelait Riquet à la houppe.

Une bonne fée lui donna le pouvoir de communiquer son esprit à la personne qu'il aimerait le plus.

À la même époque naissait une princesse d'une beauté exceptionnelle mais stupide comme une paire de sabots. Et la même fée bienfaisante lui donna le pouvoir de communiquer de sa beauté à la personne qui serait le choix de son amour pour la vie.

Pour faire une histoire courte, Riquet et la princesse tombèrent amoureux. Et Riquet devint pour la princesse le plus bel homme du monde, tandis que la princesse parut à son époux intelligente et spirituelle.

Le conteur, cependant, nous laisse entendre que, de fait, ce n'est pas l'intervention de la bonne fée qui a accompli cette transformation, mais l'amour que ces jeunes gens avaient l'un pour l'autre.

Car l'amour enveloppe l'être aimé de beauté et d'autres qualités. On dit que l'amour rend aveugle. C'est plutôt le contraire qui est vrai : l'amour fait voir des qualités «et des richesses imperceptibles aux regards superficiels. «On ne voit bien qu'avec le cœur; l'essentiel est invisible pour les yeux» (Saint-Exupéry, *Le Petit Prince*).

L'amour embellit le monde. L'amour est la lumière qui révèle la beauté et la bonté qui existent dans les cœurs. Et ce regard intérieur fait voir aussi ce qui est beau et bon dans la nature.

Cela est vrai pour nous, mais plus encore pour Dieu. Nous admirons ce qui est beau; nous aimons ce qui est bon. Par contre, l'amour du Créateur fait surgir la beauté et la bonté.

«Tout ruisselant de mille grâces,
en hâte il traversa nos bois,
dans sa course il les regarda;
sa figure qui s'y grava,
suffit à les laisser revêtus de beauté.»

(Jean de la Croix)

Droits et devoirs

«DANS MON FILM, le docteur Michel Marchand affirme: ‹La vie n'est pas un droit, c'est une responsabilité.› Alors, je pense à notre société où chacun revendique ses droits, des droits, toujours des droits, sans penser qu'on est peut-être venu au monde aussi pour faire quelque chose de sa vie» (Rached Tahan, auteur du film *Médecin du cœur,* sur le sida).

Voilà un propos qu'on n'entend pas souvent. On parle beaucoup plus de droits que de devoirs et de responsabilités.

Les chartes des droits sont des acquis de civilisation sur lesquels il ne faut pas reculer. Les chartes des droits de la personne sont promulguées, acceptées, officielles. Mais on est loin de les avoir appliquées partout. Il faut continuer à se battre pour les droits de la personne et surtout se convertir soi-même à cette mentalité.

Mais il faut comprendre les droits de la personne en regardant tout ce que le mot «personne» signifie.

On les comprend trop souvent comme les droits de l'*individu,* donc dans un sens individualiste.

Une personne, c'est plus qu'un individu. C'est un être humain vivant dans un réseau de relations.

Comme personne, j'ai des droits inaliénables. Mais il y a d'autres personnes et des groupes autour de moi qui ont aussi des droits. Cela signifie que j'ai le devoir de respecter ces droits. Les groupes, comme les familles et la société, ont des droits. Si un individu menace la société, il faut aussi défendre les droits de celle-ci.

En s'enfermant dans les droits des individus, on s'emmaille, comme dans un filet, dans de subtils et savants arguments juridiques pour arriver à des conclusions qui défient le bon sens.

Droits, devoirs et responsabilités sont trois mots indissociables.

Une visiteuse qui nous arrive de loin

ELLE EST ARRIVÉE sans s'annoncer, mais en faisant grand bruit médiatique. Son entrée chez nous a été rapide, plus rapide que le son, et a provoqué un bang supersonique. Au contact de l'atmosphère, elle s'est illuminée comme une boule de feu. Un spectacle son et lumière bref mais très remarqué. Elle a presque éclipsé, dans les médias, la finale de la coupe Stanley, ce qui n'est pas peu dire.

Elle nous arrive de l'espace, au terme d'un voyage qui a pu durer des millions d'années le long d'une trajectoire influencée par l'attraction de divers corps célestes. Quelle est son origine? Des savants formuleront des hypothèses. Mais une chose est certaine, elle vient de loin, de très loin, ayant franchi des distances qui dépassent les limites de notre imagination.

Pourtant, cette météorite, venue du monde mystérieux des étoiles, ressemble aux cailloux de notre bonne vieille Terre. Elle est composée d'éléments qu'on trouve ici. Elle vient nous dire que l'univers immense, qu'on ne pourra jamais mesurer, le mot le dit, se ressemble d'un bout à l'autre et qu'il est organisé avec unité et cohérence.

À mesure que s'élargit le champ des découvertes se pose avec plus de force la question: est-il possible que cet univers n'ait pas été pensé par Quelqu'un?

Dans un sondage, on posait la question suivante: «Croyez-vous au big-bang originel ou à la création?» C'est une question piégée. Je pense qu'on peut accepter le big-bang comme hypothèse scientifique sans pour autant mettre en doute la création.

Si on peut étudier la matière de façon scientifique, c'est qu'on y trouve de l'ordre, de l'organisation, des lois internes qui président à son évolution. Le pur hasard ne peut être, je pense, objet de recherche scientifique.

«Les cieux racontent la gloire de Dieu, le firmament proclame l'œuvre de ses mains» (Ps 19).

L'ordre s'exprime souvent dans la beauté. «La beauté est la forme que l'amour donne aux choses» (Ernest Hello). Nous trouvons dans la nature de la beauté, beauté gratuite qui exprime un message. La délicate fleur sauvage qui m'offre sa beauté est l'aboutissement de millions d'années d'évolution. Se peut-il que ce beau résultat ne soit pas le message de Quelqu'un?

La réponse à cette question ne donne pas la foi dans le Créateur. La foi est un don de Dieu. Mais si nous croyons en lui, le monde qui nous entoure ouvre notre esprit et notre cœur à sa connaissance.

Voilà ce que donne à penser le caillou venu du ciel.

La litote

« *JE VOUS DONNE un commandement nouveau : aimez-vous les uns les autres. Comme je vous ai aimés, vous devez vous aussi vous aimer les uns les autres. Si vous avez de l'amour les uns pour les autres, tous reconnaîtront que vous êtes mes disciples »* (Jn 13,34-35).

L'amour mutuel, qui vient après l'amour pour Dieu, est le commandement principal et fondamental des chrétiens. C'est le commandement fondamental, si on veut être chrétien. C'est notre marque distinctive comme disciples de Jésus-Christ.

Mais si le Seigneur avait parlé spécialement pour notre peuple, il aurait ajouté : «Aimez-vous les uns les autres, et faites-le voir, dites-le !»

Je connais un homme, âgé maintenant, qui, au moment de fonder son foyer, était allé consulter son curé à propos de son mariage. Après une tentative de vie religieuse, il avait fréquenté une demoiselle du voisinage et le temps des grandes décisions était arrivé.

«Monsieur le curé, pensez-vous que je devrais la marier ?

— Mon cher, c'est ta décision. L'aimes-tu assez pour passer le reste de ta vie avec elle ?

— Bien ! Je ne lui veux pas de mal. »

En littérature, on appelle ça une litote : dire moins pour laisser entendre plus.

Sans faire de littérature, nous utilisons souvent la litote pour exprimer nos sentiments profonds d'admiration et d'amour. « C'est pas pire. Il paraît pas mal. Elle n'est pas laide. Tu es bien regardable. »

L'expression n'est pas toujours dépourvue de finesse, et le destinataire saisit bien le message sous-entendu. Une litote bien placée peut parfois signifier plus qu'un superlatif. Mais ce langage révèle souvent une pudeur à dire ses sentiments profonds, qu'on ne peut révéler directement.

Si on admire, pourquoi ne pas simplement féliciter ? Si on est reconnaissant, pourquoi ne pas remercier ? Si on aime, pourquoi ne pas le dire ? Il ne s'agit pas d'adresser constamment des compliments aux gens ni de faire de grandes démonstrations d'amitié à tout le monde : ça finirait par ne plus rien signifier. Soyons vrais. Levons les barrages et exprimons ce que nous ressentons vraiment.

Aimer est un commandement, l'exprimer en fait partie. Combien de couples voient leur amour se refroidir parce qu'ils ne se parlent pas et ne se disent pas leur amitié ! Des enfants ne sentent pas l'amour de leurs parents pour eux, et réciproquement, alors que cet amour existe bel et bien. Combien de souffrances et de frustrations seraient évitées si on se donnait la peine de révéler ce qu'on ressent dans son cœur !

La retenue à exprimer l'amour mutuel, nous la retrouvons aussi dans l'expression de notre amour pour Dieu. Notre langage religieux est-il assez chaleureux et expressif ? Voyons comment les grands mystiques s'adressent à Dieu, écoutons le *Magnificat* de la Vierge Marie. Écoutons la Parole de Dieu qui nous exprime son amour.

« Aimez-vous les uns les autres comme je vous ai aimés. » Demandons au Seigneur de nous donner son Esprit, que nous apprenions à aimer comme lui et à l'exprimer comme lui.

Rechercher « ce qui est en haut »

LES GRANDS-MÈRES de la mission Saint-Régis, à Akwe-sasne, m'ont donné un nom dans leur langue mohawk : Taroniakaneré, celui qui regarde en haut, vers le ciel.

Le fait que ces fidèles me donnent un nom exprime leur acceptation et leur amitié, ce qui me fait bien plaisir. Ce nom, qu'on a donné jadis à un ancien missionnaire, est pour moi tout un programme.

« Celui qui regarde en haut. » C'est le message que nous donne saint Paul : *« Du moment que vous êtes ressuscités avec le Christ, recherchez ce qui est en haut, là où se trouve le Christ assis à la droite de Dieu : c'est en haut qu'est notre but, non sur la terre »* (Col 3,1-2).

Quelles sont ces choses d'en haut que je dois chercher pour aider les autres à les trouver avec moi ?

Ce n'est pas en regardant dans les nuages que je vais les trouver. Ni saint Paul ni les femmes mohawks ne me demandent cela. Notre Église et le monde que nous devons servir sont bien sur la terre.

« Là où se trouve le Christ », c'est bien chez nous aussi puisqu'il est avec nous jusqu'à la fin des temps (*cf.* Mt 28,20) et que le Royaume qu'il a construit est parmi nous (*cf.* Lc 17,21).

Les choses d'en haut, c'est ce que le Seigneur ressuscité nous apporte : une vie renouvelée, la grâce qui fait de nous les enfants de Dieu, l'amour véritable qui montre que nous sommes bien nés de lui (*cf.* 1 Jn 4,7) ; le pardon et la réconciliation ; la joie et le souci de la partager ; la justice, le sens du partage ; le respect de toute personne, surtout des plus pauvres, des plus petits et des moins considérés. Toutes ces réalités sont des dons de l'Esprit.

La foi nous donne la capacité de voir toute réalité dans ces perspectives et de nous engager dans le monde avec ce regard. Notre foi dans le Ressuscité oriente notre vie et notre action dans le sens du projet de Dieu sur le monde. C'est là le vrai progrès, le seul qui compte et qui donne un sens à tous les autres progrès.

En haut : c'est en avant, sur la route qui monte, là où le Christ ressuscité nous précède.

Le joyeux message

C'EST PLUTÔT RARE que les médias nous offrent de joyeuses nouvelles. Mais ça arrive. La fin de la guerre, l'implantation d'une industrie qui amène de l'emploi, la découverte d'un médicament qui sauvera des vies…

Mais jamais une joyeuse nouvelle n'a eu un impact aussi durable que celle que nous célébrons encore, après presque vingt siècles.

Les disciples étaient encore sous le choc d'avoir vu mourir leur maître et ami dans des conditions épouvantables. Et voilà qu'arrive la nouvelle invraisemblable qu'il est vivant. On n'y croit pas. Mais Pierre et Jean partent quand même au pas de course pour voir ce qui s'est passé au tombeau vide. Aucune course olympique n'a fait parcourir un si long chemin à quelqu'un en si peu de temps : le chemin entre le doute et la foi, entre le découragement et la joie.

Puis le Ressuscité se montre à ses amis, il se laisse toucher par eux, converse avec eux, leur fait ses recommandations et ses promesses avant de disparaître dans son nouveau mode d'existence qui lui permet d'être présent bien effectivement mais invisible.

Après vingt siècles, la même nouvelle nous permet de nous souhaiter encore de joyeuses Pâques. *«Christ est ressuscité»*, se disent entre eux les Orientaux pour se situer au jour de Pâques.

La résurrection de Jésus et sa présence de Vivant parmi nous sont pour nous causes de joie si nous avons reçu de Dieu le don de la foi.

Remercions Dieu de ne pas nous arrêter à tous les racontars qui, sous couvert de science historique, mettent en doute ou nient la résurrection et l'identité divine de Jésus-Christ. Des recherches sérieuses ont démontré le fondement historique des Évangiles. L'histoire ne prouve pas la résurrection de Jésus, qui est un objet de foi, mais elle nous donne des éléments pour nous assurer que notre croyance en Jésus-Christ n'est pas fondée sur la naïveté ou l'ignorance.

La résurrection de Jésus-Christ est une joyeuse nouvelle pour nous, car notre Sauveur va nous faire partager sa vie. Avec lui, notre destinée bascule vers la vie, la joie et tout ce qui va avec. Ça n'efface pas nos difficultés, mais ça nous donne l'espoir d'en sortir et la volonté de nous mettre ensemble pour y arriver, avec son aide.

Partageons notre joie. Partageons aussi tout ce qui peut apporter de la joie à ceux qui en manquent. C'est le plus éloquent témoignage de notre foi en la Résurrection.

L'Église est-elle contre le plaisir ?

PÉNITENCE ET MORTIFICATION: deux mots du vocabulaire de la morale chrétienne auxquels il faut enlever une bonne charge négative dans les mémoires et la mauvaise compréhension.

Faire pénitence, c'est se convertir, redresser sa vie, se remettre sur le vrai chemin du bonheur.

Se mortifier: il y a le mot «mort» là-dedans. Mais se mortifier ne consiste pas à se faire souffrir, à se tuer à petit feu dans une sorte de masochisme, de haine de soi. C'est faire mourir en soi ce qui est mauvais afin de faire de la place à ce qui est bon et épanouissant, comme on coupe les gourmands sur un plant de tomates afin de garder la sève pour les fruits.

Tout cela veut dire qu'on n'est pas contre le plaisir. Celui-ci n'est pas mauvais. Dieu a créé le plaisir, il l'a mis à notre portée, en nous-mêmes. Il faut l'accueillir comme un don de Dieu.

On éprouve du plaisir à manger quand on a faim, à boire quand on a soif, à respirer au grand air, à faire du sport, à écouter de la musique ou à en faire, à accomplir un travail qu'on aime...

Vouloir exister sans plaisir serait nier la vie. Sans le plaisir de manger, on se nourrirait très mal ou pas du tout. Un travail qu'on fait sans plaisir est décourageant et avilissant.

Les plaisirs vécus ensemble rapprochent les gens dans l'amitié. Le plaisir lie les couples dans l'amour.

Un monde sans plaisir serait inhumain, comme un jardin sans soleil ne serait pas longtemps un jardin.

Ce qui peut être mauvais, ce n'est pas le plaisir, mais son mauvais usage, son abus. Le plaisir de manger est non seulement légitime mais recommandable, mais si on mange trop ou si on mange le pain de l'autre, c'est là que ça devient mauvais.

Le plaisir a des limites qu'il faut accepter, comme toutes nos autres limites humaines. Si on dépasse ces limites, on se brûle. On rend le plaisir mauvais si on se le donne aux dépens de soi-même, de sa santé et de son équilibre. Le plaisir immoral est aussi celui qu'on se paye aux dépens d'un autre.

Ainsi, le plaisir sexuel est un bien de la nature et un don de Dieu. Il devient répréhensible quand on le cherche en se causant du tort à soi-même ou en faisant d'une autre personne un objet qu'on utilise pour sa propre satisfaction.

Quand on se prive volontairement d'un plaisir, ce n'est pas pour se punir soi-même ; c'est pour apprendre que le plaisir a des limites et qu'il y a des réalités humaines et surnaturelles plus importantes auxquelles le plaisir doit se subordonner ou laisser la place.

Comme une fleur

AU COURS d'un repas dans un restaurant avec un ami, une marchande de fleurs s'est approchée de nous. Elle m'a présenté une rose en disant: «Je n'ai pas beaucoup le temps de prier. J'offre cette rose à la sainte Vierge. Voulez-vous la placer près de sa statue?»

La petite rose se tient là, toute droite, tout près de la statue. Elle prie à la manière d'une rose, en étant belle, en sentant bon, pour rendre grâces au Créateur qui, en pensant à nous, a donné de la beauté aux choses en plus de les faire bonnes.

Elle porte aussi la prière de la femme qui l'a offerte, ses soucis pour joindre les deux bouts, son amour et ses préoccupations pour les siens, son désir de progresser dans les chemins de Dieu...

La Vierge accueille avec joie cet hommage. Cette petite fleur lui fait un grand plaisir. Et elle comprend le message qu'elle porte pour la personne qui l'a offerte.

Marie de Nazareth est, après Dieu devenu homme en Jésus-Christ, l'être le plus accueillant et le plus apte à nous comprendre. Elle est tout attentive à Dieu et à nous en même temps. La totale transparence de son cœur lui fait accueillir parfaitement les dons de l'amour divin. La même transparence est ouverte à tous nos besoins, nos misères, nos désirs, nos joies et notre amour.

Marie, c'est l'accueil parfait. Elle est le sein maternel qui accueille Dieu désirant devenir homme. Elle est la mère des croyants : elle accueille Dieu pour nous et avec nous. Elle est le giron où nous recevons la vie de Dieu.

Marie porte avec nous tous nos besoins, tous nos désirs ; elle les oriente vers les vrais biens qui apporteront le bonheur dans notre cœur et autour de nous.

Dans notre recherche du bonheur, savons-nous offrir à la mère de Dieu un moment d'attention et de prière, comme la petite fleur qui se tient près de la statue et se donne en silence ?

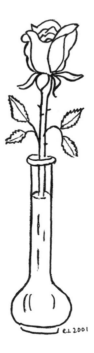

Avez-vous trouvé un trésor ?

> *« Pour moi, le véritable gros lot, ce serait de comprendre la vie. »*
>
> Louis Hamelin, *Le Devoir*, 17 octobre 1992

GAGNER LE GROS LOT, ça ne change pas le monde, mais... On connaît ou on imagine la joie de la personne qui constate qu'elle a le billet chanceux. Mais est-ce là ce qui donne le vrai gros lot ? Tel gagnant changerait volontiers la grosse somme du tirage pour une meilleure santé ou pour être heureux en ménage.

Avoir de l'argent, ça aide à régler bien des problèmes. Sans argent, les petits problèmes peuvent devenir gros. En période de récession ou de sous-emploi, bien des personnes ne le savent que trop. C'est ennuyeux de manquer d'argent.

Il reste que l'argent est un moyen, indispensable certes, mais un moyen seulement. Et le besoin de gagner notre vie risque de nous faire oublier des réalités plus importantes.

La grande découverte qui permet de s'engager sur le chemin du bonheur n'est-elle pas de trouver un sens à la vie, comme le suggère le jeune romancier québécois cité plus haut ?

C'est ce que chacun de nous cherche tout le temps. Heureux l'homme de l'Évangile qui a trouvé le trésor caché (*cf.* Mt 13,44-52). La foi nous dit dans quelle direction regarder et où chercher.

Où est notre vrai trésor? À quoi et à qui tenons-nous le plus, plus que tout? C'est déjà se placer sur la route du trésor que de s'arrêter pour se poser sérieusement la question.

Bonne chance!

De la joie pour tous

« Je viens vous annoncer une grande nouvelle, qui sera une grande joie pour tout le monde. »

Lc 2,10

C'EST EN ÉCHO à cette parole de l'ange qui annonçait aux bergers de Bethléem la naissance du Sauveur que nous nous souhaitons encore «Joyeux Noël» à l'occasion de la fête de la Nativité.

De la joie : c'est ce que notre Sauveur nous apporte et nous offre. Dieu notre Père ne nous a pas créés pour autre chose.

Mais il y a tant d'obstacles à cette joie, dans le monde et dans nos cœurs.

Il y a la pauvreté et l'insécurité économique qui frappent des personnes et des familles. Il y a la maladie qui ne choisit pas ses temps ni ses cibles.

Il y a les incompréhensions, les querelles, les amours brisées, les personnes oubliées dans la solitude et même dans le mépris. Il y a les enfants privés de nourriture, de soins, de tendresse, et maltraités.

Y a-t-il de la joie pour ceux qui voient défiler dans leur vie ce cortège de malheurs ?

La joie qu'apporte le Christ est destinée à tous les enfants de Dieu. Comme croyants et comme disciples, nous devons nous faire les porteurs et les propagateurs de cette joie.

La joie des pauvres, c'est de sentir la solidarité et le respect autour d'eux; c'est de pouvoir faire une fête pour oublier la grisaille de la pauvreté et ouvrir une fenêtre sur un possible avenir meilleur.

La joie des malades, c'est la présence des êtres aimés, leur attention, leur tendresse.

Les petits bonheurs simples peuvent faire fleurir la joie même au milieu des souffrances et des épreuves.

L'Esprit du Seigneur peut créer dans les cœurs sa joie mystérieuse dont lui seul a le secret.

Il peut créer dans nos cœurs cet espace pour laisser passer la joie dans le monde : l'amour, le pardon, le don de soi, la justice, le respect des autres, la générosité, la tendresse...

La joie de Noël n'est pas pour le temps de Noël seulement. Le Seigneur veut qu'elle dure et que nous gardions dans nos cœurs les dispositions réveillées par les fêtes de la Nativité.

La pauvreté est notre responsabilité

LA FAIM n'est pas un phénomène propre au tiers monde. Chez nous, il y a des gens, en particulier des enfants, qui ne mangent pas assez ou qui mangent mal. Des écoliers s'évanouissent en classe parce qu'ils n'ont pas mangé.

Divers organismes s'occupent un peu partout d'offrir du secours. Mais on ne peut répondre à tous les besoins. Et souvent, les pauvres cachent leur misère : on comprend que des gens habitués à se débrouiller soient gênés de demander de l'aide quand la malchance les met dans le besoin. Des adolescents préfèrent ne pas manger plutôt que de dévoiler leur situation de pauvreté.

Pourtant, comme l'a déjà dit un pauvre, «ce n'est pas une honte de vivre dans la misère; c'est la misère qui est une honte». C'est une honte pour la société qui permet une telle chose, surtout une société comme la nôtre, où il y a de la richesse.

On refuse de voir la pauvreté, car elle dérange. On accuse les pauvres d'être responsables de leur situation. Les sans-emploi seraient des paresseux qui refusent de travailler et qui préfèrent vivre du travail des autres. Il y a certainement des paresseux parmi les sans-emploi. Il y en a sûrement aussi parmi ceux qui ont des emplois bien rémunérés...

Le pauvre est déjà assez humilié à cause de sa pauvreté sans devoir en plus supporter le jugement facile et le mépris.

Dieu ne nous demande pas de juger le pauvre, mais de l'aider. On n'a pas à chercher toutes sortes de raisons pour l'aider : on doit l'aider parce qu'il est pauvre, qu'il est dans le besoin et qu'il a droit à sa part de biens que notre Créateur et Père a mis à la disposition de tous ses enfants.

L'aider, cela veut dire répondre à ses besoins immédiats, mais aussi chercher avec lui des solutions à long terme à sa pauvreté. Cela veut dire lui donner l'occasion de prendre la parole, l'écouter, le respecter ; travailler à ce que la société offre à tous l'occasion de gagner leur vie ; à ce que notre organisation sociale offre à toutes les personnes la chance d'apprendre une profession ou un métier qui corresponde aux besoins de notre société.

Corriger la situation actuelle de pauvreté n'est pas simple. Mais quelle que soit la façon, ça reviendra toujours à deux choses : qu'on trouve le moyen de créer de l'emploi ; que les plus favorisés acceptent une forme de partage pour que d'autres aient leur part. «Il faut accepter de vivre plus simplement pour que d'autres puissent simplement vivre.»

La multiplication et le partage

CHAQUE ANNÉE, les paroissiens qui fréquentent leur église entendent le récit de la multiplication des pains. Avec cinq pains d'orge et deux poissons, Jésus a nourri une foule de plusieurs milliers de personnes. Et il y a eu des restes.

Ceux qui refusent le merveilleux voient dans ce récit une fiction littéraire dont le but est de tirer une leçon. La leçon est là, bien sûr. Mais pourquoi Dieu ne serait-il pas capable de multiplier des pains de façon exceptionnelle, lui qui fait constamment cette multiplication dans la nature?

Grâce à la force vitale que le Créateur y a mise, le grain semé en terre produit le centuple (*cf.* Lc 8,8). *« Tous comptent sur toi pour leur donner en temps voulu la nourriture : tu donnes, ils ramassent ; tu ouvres la main, ils se rassasient »* (Ps 104,28).

Dans ce miracle qui est un signe pour nous, Jésus a fait deux choses : il a *multiplié* les pains et les poissons et il les a *distribués*.

Dieu a confié la création aux humains. Sa volonté est que ceux-ci développent les ressources de la nature et en distribuent les fruits de sorte que tous reçoivent leur part.

Les deux tiers de la population mondiale ne mangent pas à leur faim. La première chose à faire, c'est d'aider les populations à s'organiser pour développer les ressources naturelles de leur pays. Ça se fait, mais pas assez et pas bien. Souvent, nous aidons le tiers monde de façon à ce que celui-ci produise des matières premières que nous leur achetons à meilleur compte que si elles étaient produites chez nous. Mais il y a quand même des efforts faits dans le bon sens. «Développement et paix» finance des projets permettant aux pays du tiers monde de se doter d'eau potable, de moyens pour cultiver la terre et d'énergie pour transformer leurs produits. La F.A.O. (Food and Agriculture Organization) se préoccupe de production agricole et d'alimentation à l'échelle mondiale.

Mais le problème le plus grave est celui de la distribution des richesses. En gros, 20 % de la population favorisée a accès à 80 % des ressources. L'autre 80 % de la population se partage le reste, de façon inégale encore.

La volonté de partage peut faire des miracles. Si le jeune garçon de l'Évangile n'avait pas sorti ses cinq pains et ses deux poissons, il n'y aurait pas eu de multiplication et de partage. On a des surplus ici et une pénurie ailleurs. On détruit même des produits pour faire monter les prix. Comment organiser la société pour que chacun ait son morceau de pain ?

Que l'humanité et chacun de nous deviennent plus inventifs pour produire et plus justes pour partager : ainsi, l'humanité et le monde ressembleront à ce que Dieu a voulu, comme il nous l'a signifié à l'occasion de la multiplication des pains.

Hommage aux familles heureuses

« LES PEUPLES HEUREUX n'ont pas d'histoire. » C'est bien la même chose avec les familles heureuses. On parle aujourd'hui beaucoup des difficultés que vivent les familles, des échecs qui les brisent, du déclin des valeurs qui faisaient leur force. C'est rare qu'on lise ou qu'on entende quelque chose sur les familles heureuses. Elles vivent leur bonheur tout simplement. Le bonheur ne fait pas de bruit. « Une forêt qui pousse fait moins de bruit qu'un arbre qui tombe », dit le proverbe.

Certes, il faut voir les énormes défis que doivent affronter les familles, les difficultés qu'elles doivent traverser. Il faut prendre en compte les échecs et offrir compassion et aide aux personnes qui sont passées par là.

Mais ce regard réaliste sur les difficultés ne devrait pas nous empêcher de voir les familles qui vont bien. C'est une justice à leur rendre, d'autant plus qu'elles ont à payer le prix de leur réussite.

Les familles heureuses, elles aussi, ont à traverser leurs difficultés et leurs épreuves. Elles s'en tirent en y mettant beaucoup d'amour, de solidarité et de pardon.

Elles ne se referment pas sur leur petit bonheur. Elles sont ouvertes aux besoins des autres, compréhensives devant les échecs et compatissantes devant les malheurs.

Il en existe, de ces familles. Leur témoignage vaut mieux que le plus beau des écrits. Elles sont un appel et un encouragement aux familles qui viennent d'être fondées ou à celles qui veulent se refaire un bonheur. Elles sont la plus précieuse richesse d'une société.

Familles qui avez su garder vos valeurs, protéger votre bonheur et faire épanouir l'amour, soyez remerciées.

La recette du renouveau

•

AU COURS DE L'HISTOIRE, l'Église a connu bien des situations qui l'ont mise en péril ou qui auraient pu la faire disparaître. Les pires dangers ne sont pas venus d'ennemis de l'extérieur qui voulaient la détruire, mais de l'intérieur : la décadence morale de ses membres et même de ses dirigeants ; les erreurs qui font perdre de vue l'essentiel de l'Évangile que nous a confié Jésus-Christ ; bien d'autres raisons que nous ne pouvons énumérer ici, faute d'espace, et qui auraient fait disparaître n'importe quelle organisation abandonnée à elle-même.

L'Église s'en est toujours tirée. Non seulement elle s'en est tirée, mais ses crises ont été pour elle une occasion de renouveau.

Ses renouveaux ont toujours été un retour à la nouveauté du départ, à la nouveauté de l'Évangile. On a eu un exemple de cela avec saint François et sainte Claire d'Assise.

François avait reçu du Christ, à Saint-Damien, le message suivant : «Va, François, et répare ma maison qui tombe en ruines.» Il a vite compris qu'il s'agissait non pas d'un édifice, mais de l'Église comme peuple des croyants.

La réforme de François et de Claire se dit en des mots très simples : «Vivre selon le saint Évangile», prendre l'Évangile au sérieux et en transformer sa vie de façon radicale. Ce radicalisme s'est montré surtout dans le choix de

« la sainte pauvreté », la pauvreté vue comme une façon de suivre le Christ pauvre.

Il y avait à cette époque de vigoureux efforts pour contrer et dénoncer les abus de l'Église, qui s'était laissé envahir par l'attrait des richesses et du pouvoir. Mais ces efforts étaient plutôt négatifs et pas toujours éclairés par la charité. François et Claire ont donné de la santé évangélique au mouvement en le vivant avec l'Église, en Église, et en montrant ce qu'il y a de divin dans la pauvreté du Christ. Ils ne se sont pas contentés de dénoncer ou de revendiquer ; ils ont montré ce que signifie « vivre selon l'Évangile » en le vivant eux-mêmes de façon radicale.

L'Esprit Saint, qui tient l'Église vivante, nous ramène sans cesse à l'Évangile. Il n'y a pas pour l'Église d'autre recette de rajeunissement.

Comme l'écrivait saint Irénée au IIe siècle : « Cette foi que nous avons reçue de l'Église, nous la gardons avec soin, car sans cesse, sous l'action de l'Esprit de Dieu, tel un dépôt de grand prix renfermé dans un vase excellent, elle rajeunit et fait rajeunir le vase même qui la contient. »

L'orteil du père Philémon

UN VIEUX CURÉ, qui avait été longtemps trappiste et qui avait dû quitter la vie monastique pour des raisons de santé, racontait ceci.

Le père Macaire avait le même voisin depuis vingt ans. Quand vous entriez au monastère, on vous assignait un rang pour le reste de votre vie. Vous étiez donc toujours à côté des mêmes personnes, au chœur, au réfectoire et au chapitre. Et cela, en silence toujours.

Or, le père Philémon, voisin du père Macaire, avait une manie qui tombait sur les nerfs de celui-ci. Quand on s'arrêtait en rangs dans la prière ou dans une autre activité, Philémon tenait son pied droit en avant de l'autre et branlait sans cesse son gros orteil! Macaire avait toujours sous les yeux cet orteil qui émergeait de sous la bure de Philémon et qui se débattait au bout de la grosse sandale.

Cette manie bien innocente agaçait Macaire, qui, cependant, en homme bien charitable à la recherche de la perfection, se disait qu'il fallait accepter ses voisins comme ils sont.

Mais cet orteil agité se mit à l'obséder de plus en plus. Il ne pouvait en détacher son regard. Il lui semblait qu'il devenait énorme, agressif. C'était la seule chose qui remuait dans le monastère aux heures calmes de la prière et de la contemplation. L'impertinent orteil venait constamment perturber le recueillement et la sérénité de

Macaire. Il en était venu à projeter sur cet innocent petit membre toutes les difficultés et toutes les frustrations que lui occasionnait son exigeante vie monastique.

Avant d'en venir à reporter sa haine de la partie au tout, de l'orteil à la personne elle-même, il résolut, après longue hésitation, de s'en ouvrir à la coulpe. La coulpe, c'était une rencontre où les moines pouvaient prendre la parole pour faire leurs réclamations et exprimer les remarques envers leurs confrères.

Macaire fit donc sa remarque, au grand étonnement amusé des autres moines. Le père abbé, qui en avait vu d'autres et pouvait comprendre l'importance des petits détails dans une communauté cloîtrée, demanda donc à Philémon de tenir désormais son pied droit en retrait et de maîtriser la nervosité de son orteil. Ce qui fut fait. Macaire a retrouvé sa paix et son recueillement, qu'il était en train de perdre pour si peu.

Car la moindre chose peut devenir un gros problème, une montagne, si on ne se parle pas. Combien de tensions et même de dramatiques et douloureuses ruptures seraient évitées si on savait se parler à temps. Le bon curé se servait de cette histoire pour inviter ses paroissiens, surtout les ménages, à la paix et à la réconciliation.

Il n'y a plus de péchés?

J'ENTENDAIS une tenancière de bar avec danseuses faire, à l'émission «Le Point», la remarque suivante: «Qu'est-ce qu'on a à parler de morale à notre sujet et à nous faire surveiller par la police? La morale et le péché, ça n'existe plus.»

Belle assurance de conscience quand on gagne sa vie de pareille façon!

«Le péché, ça n'existe plus.» Il n'est pas rare d'entendre ce propos, même chez des croyants bien intentionnés. Il y a même des pasteurs qui disent: «Il ne faut plus parler de péché, mais de manque d'amour.» C'est remplacer le mot par sa définition. Mais ça rend la chose plus vague, aussi vague que le mot «amour» lui-même, qu'on utilise trop souvent pour nommer une pure recherche égoïste.

Pourquoi avoir peur d'un mot qu'on trouve constamment dans les Écritures? Il s'agit de le comprendre comme Dieu lui-même s'en explique. La dénonciation du mal que les Écritures appellent péché est toujours placée dans une perspective de pardon. Se reconnaître pécheur, c'est déjà faire un pas sur le chemin de Dieu en acceptant sa manière d'évaluer notre conduite, c'est recevoir son appel à mieux et à plus; c'est surtout se préparer à accueillir son pardon et son aide.

Y a-t-il encore des péchés? Où sont-ils? Dans son encyclique *La Splendeur de la vérité* sur la vie morale, notre pape nous présente une série d'actes et de comportements qui lèsent les droits d'autrui: le vol, la fraude dans le commerce, les salaires injustes, la hausse des prix en spéculant sur l'ignorance ou la détresse des gens, la fraude fiscale, les dépenses excessives, le gaspillage... (n° 100).

Tout ce qui s'oppose à la vie humaine, comme l'homicide, le génocide, l'avortement, l'euthanasie; tout ce qui est violation de l'intégrité de la personne, comme la torture, la violence physique ou psychologique; tout ce qui offense la dignité de l'homme et de la femme, comme les conditions de vie sous-humaines, la prostitution, le commerce des femmes et des jeunes, les conditions de travail dégradantes... (n° 80).

Quand ces injustices n'existeront plus dans le monde, quand il n'y aura plus de traces de tout cela dans notre vie et notre conscience, on pourra dire que le péché n'existe plus. C'est pour quand?

Notre conscience

«LA CONSCIENCE est le centre le plus secret de l'homme, le sanctuaire où il est seul avec Dieu et où sa voix se fait entendre» (Vatican II, *L'Église dans le monde de ce temps*, n° 16).

Entre Dieu et la conscience de chacun, il n'y a pas d'intermédiaire. Il n'y a personne; ni moraliste, ni prêtre, ni même de pape. C'est ma conscience qui me dit d'écouter le pape.

Cela fait partie de la dignité de l'être humain d'obéir à sa propre conscience, d'obéir à Dieu directement à travers sa conscience. Celle-ci «est une loi inscrite par Dieu au cœur de l'homme: sa dignité est de lui obéir et c'est elle qui le jugera» (Vatican II).

On comprend alors que la conscience doit être libre. La société et l'Église doivent respecter cette liberté.

Cependant, «la conscience a des droits parce qu'elle a des devoirs. Mais à notre époque, dans une grande partie du public, les droits de la conscience et la liberté de conscience signifient précisément se passer de conscience». Le cardinal Newman écrivait cela à la fin du siècle dernier. Il y en a pour qui la conscience est comme une brouette qu'on suit en la poussant comme on veut.

Nous avons le devoir de suivre notre conscience et de l'éclairer. Nous devons nous servir du jugement – on appelle ça aussi de la jugeote – que Dieu nous a donné.

Nous avons le devoir d'éclairer notre conscience à l'aide de la sagesse que l'humanité a acquise au cours des siècles. Nous retrouvons cette sagesse dans les lois morales fondamentales qui sont à la base du droit qui régit les peuples et les sociétés.

La Parole de Dieu et la foi éclairent la conscience des croyants. Nous n'avons pas le droit de négliger cette lumière. C'est ici qu'intervient l'enseignement de l'Église et du pape.

On peut aussi consulter un conseiller spirituel ou un moraliste.

Le dernier mot dans notre conduite devant nous-mêmes et devant Dieu appartient à notre conscience. Mais nous devons informer celle-ci, l'éclairer et la suivre. Et elle ne nous parle pas seulement de nos droits : elle nous dicte nos devoirs.

•

« La petite femme »

•

Dans mon enfance, lorsque nous allions à la messe dans la paroisse voisine, en visite chez la parenté, les gens nous demandaient : « Tu es un ti-qui, toi ? »

Lorsqu'un fils portait le même prénom que son père, son grand-père ou son oncle, plutôt que de se faire appeler « Junior », il avait des chances d'être, toute sa vie, Ti-Jos, Ti-Phonse, etc.

Mais les « ti-qui » grandissaient. Les « Ti-Jos » et les « Ti-Phonse » finissaient parfois par prendre toute leur place et du poids, au propre comme au figuré.

Quand une femme se mariait, elle prenait le patronyme de son mari. Pour rappeler son patronyme à elle, on disait, par exemple : « C'est une petite Gingras », ou « X est marié à une petite Dubé ».

Pour désigner la bru dans une maisonnée, on disait : « la petite femme ».

Ces façons de parler sont-elles innocentes ? On les entend encore. Je sais bien que ceux qui les emploient ne pensent pas à tout ce qui se cache derrière la formule. Si la femme est petite dans le langage, est-ce le signe qu'il en est ainsi dans la réalité ?

Dans le passé, l'épouse n'avait pratiquement pas de droits légaux, elle était ni plus ni moins qu'une mineure. On ne voit pas de signatures féminines dans les registres de cette époque. La femme n'était pas grosse devant la loi et la société.

Nous partons de loin. Mais il reste encore du chemin à faire. Il y a encore des «Petites Madames» en circulation. Maintenant que les lois ont changé, il faut aussi faire évoluer les mentalités. Ça doit être une préoccupation constante. Celle-ci nous aidera à ne pas manquer une occasion.

Dans une lettre adressée aux femmes à l'occasion de la Conférence mondiale sur la femme qui s'est tenue à Pékin, le pape a proclamé haut et fort l'égalité de l'homme et de la femme.

On aurait intérêt à voir tout le positif qu'il y a dans cette lettre. Malheureusement, on se bloque sur la question de la non-ordination des femmes. On finira peut-être par voir que l'ordination ne fait pas grossir tant que ça.

Après tout, lorsqu'il y avait des «petites femmes» dans les maisonnées, il y avait aussi des «petits vicaires» dans les presbytères.

Le pays le moins exploré

IL NE S'AGIT PAS d'un coin perdu de l'Australie ou de l'Amazonie.

Ce pays, il est ici, il est tout près de nous, il est en nous. Il est à l'intérieur de nous-mêmes. C'est notre intérieur, notre cœur.

Il contient des espaces illimités, qu'on n'aura jamais fini d'explorer. On peut y faire entrer des connaissances, des souvenirs, des personnes.

L'univers se révèle à nous sans cesse de plus en plus immense. On n'arrive pas à en imaginer le bout, car il est, d'après les savants, en expansion. Eh bien! cet univers, il peut entrer dans notre intérieur. Toutes les étoiles du ciel peuvent y trouver place dans notre connaissance, notre souvenir, notre admiration.

Ce pays illimité qu'est notre intérieur, il est aussi le lieu le plus intime que nous puissions habiter. Il comprend des chambres intérieures qu'on ne pénètre que progressivement.

Mais il faut commencer par entrer en soi-même, comme le fils prodigue de la parabole, après avoir couru le monde dans la dissipation : «*Rentrant en lui-même*», nous dit l'Évangile (Lc 15,17), il commença à se poser les vraies questions.

Pour se poser les grandes questions, il faut se retrouver soi-même dans son intérieur : «Qui suis-je ? Où me mène ce va-et-vient ? Quel est le sens de la vie ? Pourquoi ce mal que je subis ? Où sont mes vraies joies ?»

Beaucoup de gens sont à la recherche de cette intériorité. La vie agitée, dans les affaires et les plaisirs, les laisse insatisfaits. Les jeunes veulent savoir s'il y a un sens à leur avenir. Il me semble que la fin du dernier siècle aura été dans l'histoire humaine un temps d'intériorité.

Chez nous, les grandes religions paraissent en déclin. Mais ceux qui y sont encore actifs savent de mieux en mieux ce qu'ils y cherchent. D'autres vont demander leurs réponses aux sectes, au Nouvel Âge, à l'ésotérisme. Cela n'est pas négatif et traduit un désir de sens et d'intériorité chez les personnes qui cherchent sans le savoir l'eau qui étancherait vraiment leur soif (*cf.* Jn 4,13-14).

On ne rentre pas en soi-même pour s'isoler, se refermer sur soi. Quand on est présent à soi-même, on est là pour l'accueil. Pour accueillir vraiment, il faut être chez soi. Les amitiés et les amours sans intériorité manquent de vraie communication et sont superficielles. Il faut prendre le temps de s'arrêter, d'écouter et d'accueillir en soi ce que les autres nous offrent ou nous demandent.

Il y en a un qui attend ça plus que tout autre : Dieu. Il est déjà tout au fond de notre demeure intérieure, de notre cœur. Il attend que nous entrions chez nous pour se faire accueillir.

Si nous lui offrons cet accueil, il fera de la lumière dans notre intérieur, il nous y révélera tout ce qu'il y a mis lorsqu'il nous a créés à sa ressemblance et lorsqu'il a fait de nous ses enfants. Sa présence élargit notre cœur pour y accueillir tous ses autres enfants et nous aider à voir son Visage dans tous ceux qui attendent de nous attention, respect, aide et amitié.

Quel grand pays que notre cœur !

Jésus s'invite chez Zachée

UN JOUR, Voltaire et ses amis s'amusaient à improviser des histoires. On suggéra à Voltaire de raconter une histoire de voleurs. Il dit simplement:

« Une fois, c'était un fermier général...

– Ensuite?

– C'est tout.

– Comment ça?

– Les fermiers généraux sont des voleurs. »

En effet, sous l'Ancien Régime, avant la Révolution française, les fermiers généraux prenaient à bail la perception des impôts. Pour une population déterminée, on calculait le revenu que le fermier devait remettre au gouvernement. Ce qu'il percevait en plus lui restait comme profit. Il allait donc en chercher le plus possible en se livrant à des exactions.

Le petit Zachée de l'Évangile (*cf.* Lc 19,1-10) était, à Jéricho, percepteur en chef des impôts pour le gouvernement romain. Il était devenu riche. Tout le monde savait comment.

Zachée entend parler de Jésus, qui traversait la ville. Il veut aller voir qui est cet étrange prophète. Mais il y a beaucoup de monde autour de Jésus, entre autres des disciples zélés qui ne veulent pas laisser un publicain exploiteur du peuple, un pécheur notoire, s'approcher de leur Maître.

Sa petite taille ne l'avantage pas. Il ne peut se frayer un chemin à travers la foule jusqu'à Jésus ni le voir de loin. Alors, il met de côté sa dignité de notable et grimpe dans un sycomore, comme un gamin.

Il voit Jésus, mais Jésus lui aussi le voit. *« Zachée, descends vite. C'est chez vous que je vais loger. »*

Vif comme un écureuil, Zachée dégringole de son observatoire et, tout heureux, il court accueillir Jésus dans sa maison.

Les bien-pensants sont scandalisés du geste de Jésus. *« Il est allé loger chez un pécheur ! »*

Jésus avait déjà dit qu'il était plus facile à un chameau de passer par un trou d'aiguille qu'à un riche d'entrer dans le Royaume (*cf.* Mt 19,24). Et le voilà pourtant qui fraye avec un publicain enrichi par le vol !

Mais Jésus sait ce qu'il y a dans le cœur de l'homme. Il voit dans celui de Zachée. Et celui-ci dévoile à tout le monde où il en est : *« Je fais don aux pauvres de la moitié de mes biens, et si j'ai fait tort à quelqu'un, je vais lui rendre quatre fois plus. »* Il est tellement changé, retourné, qu'il ne sait plus calculer. Il risque de manquer d'argent.

Ce récit parle encore plus de Jésus que de Zachée. Il est venu *« chercher et sauver ce qui était perdu »*. Il ne condamne pas, il ne juge pas, il appelle. Quelle espérance pour nous tous ! Heureux ceux qui lui ouvrent la maison de leur cœur ! Car il s'y est déjà invité, comme chez Zachée.

Un trou d'un coup

IL ARRIVE PARFOIS qu'un joueur de golf réussisse un trou d'un seul coup. C'est un exploit qu'on se rappelle longtemps.

Le golf m'aide à comprendre un peu la croyance en la réincarnation.

Au golf, si on n'envoie pas la balle dans le trou au premier coup, on a d'autres coups pour y arriver. De même, selon la croyance en la réincarnation, si on n'a pas réussi dans une vie l'objectif de son existence, on peut se reprendre dans une existence ultérieure.

L'âme recommence sa vie dans un autre corps. La qualité de sa situation dépend alors de la manière dont elle a vécu son existence antérieure. C'est ainsi qu'on explique, dans l'hindouisme, les différences sociales et la question du mal. Comme ça, on n'aurait pas à aider les pauvres et les malheureux. Leur condition dépend de ce qu'ils ont mérité dans une ou des existences antérieures. Leurs difficultés présentes sont un moyen de se libérer de la pesanteur qui retient prisonnière la parcelle du divin qui est en eux et qui aspire à fusionner dans le grand tout divin.

Avec la croyance en la réincarnation, chacun fait donc son salut tout seul, par lui-même. On comprend qu'on ait besoin de plus d'une vie humaine pour y arriver, comme le golfeur moyen a besoin de quelques coups pour placer sa petite balle là où il la destine.

Mais dans notre foi chrétienne, nous avons un Sauveur. Lui, il est capable de nous mener au salut qu'il nous propose dans une seule vie humaine, même très courte. Avec lui, c'est toujours un trou d'un coup.

Il nous offre son salut, la vie éternelle dans la résurrection, au terme d'une seule vie humaine. Nous n'avons pas à faire notre salut tout seuls ; il nous a sauvés. Il nous suffit d'accueillir son salut dans la foi, de cheminer avec lui avec l'aide de son Esprit. Nos manquements, il nous les pardonne si nous acceptons sa miséricorde. Ce qu'il nous manque, il nous le donne, si nous ouvrons notre cœur à son amour.

Au terme de notre vie humaine, il nous fait partager son bonheur sans que nous ayons à fusionner en disparaissant comme une goutte d'eau dans l'océan. Chacun de nous est pour lui unique, une personne. Il se donne à nous dans une relation personnelle d'amitié.

Notre salut éternel, c'est le plus beau trou d'un coup que nous puissions faire. Mais nous ne le réussirons pas tout seuls. Nous avons un «pro» pour qui rien n'est impossible, si nous avons foi en lui.

L'incarnation, non la fuite

Il y a quelques années, le monde a été stupéfait devant ce qui semble avoir été un suicide collectif de membres de l'Ordre du Temple solaire.

Le motif de ce geste serait de donner un sens à l'existence en quittant notre monde actuel pour un monde meilleur, quelque part vers une destination mystérieuse.

On comprend que l'être humain aspire à plus que ce que nous offre notre condition présente et qu'il essaie de voir plus loin que nos horizons terrestres. De tout temps, l'être humain a été normalement religieux. Dans toutes les civilisations, il a marqué les étapes de sa vie avec des pratiques rituelles qui l'orientaient vers un plus et vers un ailleurs. Les sociétés matérialistes ont essayé d'étouffer cette aspiration.

Les grandes religions offrent une réponse à ce besoin. Notre foi judéo-chrétienne le fait à la manière que nous présente la Bible. Nous y trouvons une longue histoire où le Dieu créateur s'engage lui-même avec les humains pour les aider à réaliser leur destinée.

En Jésus-Christ, nous apprenons que Dieu lui-même est devenu un être humain, un Terrien, pour partager notre condition, notre destinée, et nous aider à nous orienter vers le bonheur.

Dans la foi biblique, nous ne cherchons pas un salut que nous pourrions aller trouver ailleurs. Nous accueillons sur notre terre et dans notre monde humain un salut qui nous est donné par Dieu lui-même.

Ce salut, il nous oriente vers un plus, un *«ciel nouveau et une terre nouvelle»* (Ap 21,1). Mais nous accueillons ce salut en nous engageant dans la vie présente, à travers les obligations de la vie familiale, le travail et les diverses activités humaines. Même les moines et les moniales portent les préoccupations du monde dans leur prière et leur contemplation. Ils ne fuient pas le monde, mais ils le portent avec eux en présence de Dieu. Les vrais mystiques ne sont pas décrochés de la réalité.

En Jésus-Christ, Dieu est devenu un être humain, il a pris chair d'une femme : c'est son incarnation. Il veut que nous, ses disciples, nous pratiquions une foi incarnée, une foi qui se manifeste dans les réalités du monde présent. Son grand commandement est : *«Aimez-vous les uns les autres»* (Jn 15,12). Le lieu pour observer ce commandement est la vie concrète. *«Tout ce que vous avez fait à l'un de ces petits qui sont les miens, en le nourrissant, en l'habillant, en l'accueillant, etc., c'est à moi que vous l'avez fait»* (Mt 25,35-40).

Le salut n'est pas d'échapper au monde présent, mais de le transformer dans la justice et la charité. On prépare le monde futur, on y parvient non pas en s'enfuyant par un raccourci, mais en cheminant dans le monde présent. C'est ici, sur notre bonne vieille Terre, que nous préparons dans la justice, l'amour, l'espérance et la patience, la «terre nouvelle».

Jésus-Christ est-il une création des croyants ?

ON EST CHRÉTIEN non pas parce qu'on a des connaissances sur Dieu, sur les dogmes de la religion chrétienne ou sur la morale qui en découle. On est chrétien parce qu'on connaît Jésus-Christ et qu'on a accepté et décidé de le suivre. On est chrétien et disciple de Jésus-Christ si on a répondu à l'appel souvent rapporté dans les Évangiles : «Viens, suis-moi.»

Avoir la foi chrétienne, ce n'est pas d'abord adhérer à une série d'enseignements, mais suivre quelqu'un, Jésus-Christ. Celui-ci se présente à nous dans les Évangiles et dans la vie de l'Église.

On n'a jamais tant vu de publications sur Jésus-Christ. On trouve des ouvrages sérieux qui s'adressent à la foi et font réfléchir sur le mystère de Dieu fait homme et le salut qu'il nous offre dans sa mort-résurrection. On compte aussi des recherches historiques sur les faits concernant l'identité de Jésus de Nazareth, ce qu'il a accompli et enseigné. Ces recherches sont semblables à toutes celles qu'on entreprend autour des personnages qui ont marqué l'histoire. Elles sont de plus en plus sérieuses et bien documentées grâce à toutes les découvertes réalisées sur les sites où les événements se sont déroulés et à la connaissance des langues de l'époque.

Il est bien important de cerner le mieux possible les faits historiques concernant Jésus. Les Évangiles ne sont pas une chronique ou un reportage qu'on peut lire en s'en tenant à la lettre. Ils nous rappellent ce que les communautés chrétiennes des débuts ont retenu de la vie et de l'enseignement de Jésus. Un choix y est déjà fait, un message y est inclus.

Mais le tout repose sur des faits vécus. Les savants, historiens et exégètes s'appliquent à discerner ce qui est acte ou parole de Jésus et ce qui est commentaire. Aucun ouvrage n'a jamais été étudié, critiqué, épluché autant que les Évangiles.

Pas un historien sérieux, même non chrétien, ne met en doute l'existence historique de Jésus de Nazareth et l'ensemble de ce que les Évangiles racontent à son sujet.

Mais dans l'immense production qui se fait autour de Jésus, des auteurs mettent tout en doute. Sous des apparences scientifiques, ils nient les faits et donnent leurs explications à partir d'hypothèses farfelues et de suppositions qu'ils finissent par présenter comme des faits. On ne peut obliger personne à avoir la foi, mais on peut exiger de quelqu'un qui se présente comme historien d'être honnête et sérieux.

Tout cela n'est pas un mal absolu. C'est pour nous l'occasion de vérifier et d'affermir notre connaissance du Jésus de l'histoire en qui nous voyons le Christ de notre foi.

« Je lui pardonne, mais je n'oublie pas la date »

AU COURS de la semaine sainte et de la semaine qui précède Noël, plusieurs personnes vont se présenter à l'église pour recevoir le sacrement de la réconciliation. Autrefois, on appelait cette démarche «aller à la confesse». L'accent était mis alors sur la confession détaillée de ses fautes, alors qu'aujourd'hui on insiste davantage sur l'aspect réconciliation.

La confession est encore utile, et même nécessaire. Même quand il y a absolution collective, le fait de se présenter à l'église pour cette célébration est une sorte de confession: ce geste dit qu'on se reconnaît pécheur et qu'on a besoin de pardon.

Dans ce sacrement, le pardon de Dieu nous est signifié par les paroles du ministre, le prêtre qui donne l'absolution. Ce pardon nous réconcilie avec Dieu. Celui-ci nous accueille dans son amour parce que nous avons répondu à son appel de retourner vers lui. Nous avons tous des choses plus ou moins graves à nous faire pardonner par lui, même si tous les péchés ne sont pas une rupture avec lui. Si on veut garder l'amitié, il ne faut pas laisser les indélicatesses s'additionner sans faire des gestes qui les réparent.

On offense Dieu pas seulement si on s'en prend à lui directement, mais aussi quand on fait du tort aux autres.

« Tout ce que vous avez fait au plus petit d'entre les miens, c'est à moi que vous l'avez fait » (Mt 25,40).

On comprend ainsi qu'on ne peut se réconcilier avec Dieu sans le faire aussi avec ceux et celles qu'on a pu offenser. La réconciliation avec Dieu n'est pas très vraie si nous refusons de nous réconcilier avec les autres, de pardonner.

Pardonner et se réconcilier ne veut pas dire oublier. Il y a parfois des torts à réparer, une justice à rétablir, des plaies à guérir. Nous n'avons pas à nier ni à oublier le mal qu'on nous a fait. Nier le mal n'est pas un chemin de guérison.

Quelqu'un disait à propos d'un autre qui lui avait fait du tort : « Je lui pardonne, mais je n'oublie pas la date. » C'est un langage humoristique et réaliste. Quand nous nous sommes heurtés l'un l'autre, il n'est pas inutile de faire ensuite attention des deux côtés.

La vie, c'est sacré

« CETTE VIE MORTELLE, malgré ses tourments, ses mystères obscurs, ses souffrances, son inévitable caducité, est une réalité merveilleuse, un prodige toujours nouveau et émouvant, un événement digne d'être chanté et d'être glorifié dans la joie » (Paul VI).

Nul d'entre nous n'est l'auteur de cette réalité merveilleuse qu'est la vie. On la reçoit, on en prend soin, on la transmet.

La vie d'un être humain n'appartient pas aux humains. Elle est un don de la nature et de son Auteur. « Dieu seul est le Maître de la vie, de son commencement à son terme : personne, en aucune circonstance, ne peut revendiquer pour soi le droit de détruire directement un être humain innocent » (Jean-Paul II, *L'Évangile de la vie*, n° 53).

Il faut défendre par la parole et par l'action une civilisation de la vie contre une civilisation de mort.

Chaque personne a le droit qu'on respecte sa dignité. C'est un droit absolu, inviolable. Nous ne pouvons pas supprimer notre vie sous prétexte que la maladie ou la vieillesse vont nous faire perdre notre dignité. C'est justement à cause de notre dignité humaine, quel que soit son état, qu'il nous faut respecter notre vie.

Devant la détérioration de la vie, la solution n'est pas de donner la mort, mais de donner des soins pour que les derniers temps de cette vie soient vraiment de qualité humaine. Le soulagement des souffrances, le respect, un climat chaleureux, la tendresse maintiennent ce niveau de dignité humaine.

Il faut encourager et aider les projets de mise en œuvre de soins palliatifs. Des projets de cette sorte sont des indicateurs du niveau humain de notre société et aussi du sérieux qu'on donne à l'Évangile.

Le plaisir de manger

•

UN AUSTÈRE PÈRE ABBÉ avait donné au cuisinier de son monastère la consigne de mettre le moins de saveur possible dans la nourriture de ses moines pour leur éviter le péché de gourmandise et favoriser leur mortification.

Je ne sais ce que le bon saint Pierre lui a dit à ce sujet lorsqu'il s'est présenté pour son évaluation à la porte du paradis.

Il est aussi méritoire de manger des mets savoureux dans l'action de grâces et la modération que de se désoler au-dessus d'un plat immangeable. «Le Créateur, nous ayant ordonné de manger pour vivre, nous y invite par l'appétit, nous soutient par la saveur et nous récompense par le plaisir.» L'auteur de cette maxime, l'abbé Migne († 1848), a sans doute pris sa sagesse auprès des Pères de l'Église, dont il fut un prolifique éditeur.

La saveur des aliments et le plaisir de manger sont un don de Dieu. Il n'est pas moins noble de savourer un mets délicieux que d'admirer un paysage, écouter de la belle musique, s'adonner avec plaisir à un jeu qu'on aime.

La foi biblique et chrétienne n'est pas opposée au plaisir. Une attitude négative face au plaisir est un relent de jansénisme contraire à l'Évangile. Celui-ci nous montre Jésus changeant l'eau en bon vin, mangeant avec ses amis, admirant les lis des champs. Les bonnes et belles choses et le plaisir qu'elles procurent sont un don de Dieu qu'on accueille dans l'action de grâces.

Le mal advient si on en abuse. D'ailleurs, l'abus empêche le plaisir, car «la modération a bien meilleur goût». *Juvat bibere sitientem;* «Il est agréable de boire quand on a soif»: on me permettra cette réminiscence de ma grammaire latine. «Je défie un ermite de jeûner sans donner un goût exquis à son eau claire et à ses légumes», écrit Aldous Huxley *(Le Meilleur des mondes)*.

Le plaisir de manger devient un mal si on en abuse, si on en fait le but de sa vie. *«Leur dieu est leur ventre»*, dit saint Paul de ceux qui se livrent à cette exagération (Ph 3,19). On abuse du plaisir de manger si on mange plus que sa part en oubliant la loi du partage, dans la gloutonnerie ou dans la recherche coûteuse et exagérée du plaisir gourmet.

Manger son pain avec plaisir et dans la joie conviviale peut être un hommage au Créateur de tout bien. Bon appétit! De bonnes choses sur votre table, avec le goût du partage!

Ne cachons pas la croix

NOUS SOMMES HABITUÉS à voir des croix un peu partout. Nous le sommes peut-être trop. Mettons-nous dans la peau de celui qui n'a jamais su ce que la croix représente et qui l'apprendrait tout à coup. Déjà saint Paul disait : *« Nous prêchons un messie crucifié, scandale pour les Juifs, folie pour les païens »* (1 Co 1,23).

On peut exhiber la croix comme une simple décoration, un bijou, un porte-bonheur. Si on la regarde comme un signe de sa foi chrétienne, elle envoie alors le message central de cette foi. Elle nous dit que le Fils de Dieu est devenu un être humain pour partager notre condition et qu'il est mort sur une croix pour assumer nos égarements, tout le mal que les humains se font entre eux et même notre mort inévitable ; qu'il est ressuscité pour nous entraîner avec lui au-delà de tous ces maux. C'est pour cela qu'on parle de la « croix glorieuse », que l'Église fête le 14 septembre.

La croix porte un message qui s'adresse à la foi, aux croyants. Ne nous surprenons pas que des gens n'acceptent pas ce message, qu'ils ne le comprennent pas.

Mais devons-nous, pour autant, cacher nos croix ? Dans un pays libre, chacun peut exhiber les signes de ses convictions, du moment qu'ils n'appellent pas à la haine ou à la sédition.

Est-ce que la croix peut être un signe négatif qui éloignerait les gens en recherche de spiritualité ? Saint Paul n'hésite pas à proposer à ses contemporains le Messie crucifié, qui, *«pour ceux qui sont appelés, tant Juifs que Grecs, est Christ, puissance de Dieu et sagesse de Dieu»* (1 Co 1,24).

Il n'y a rien de négatif ou de rébarbatif dans la croix si on regarde Celui qui y a donné sa vie. La croix n'est pas un épouvantail. Elle est un signe qui attire: *«Quand j'aurai été élevé de terre, j'attirerai à moi tous les humains»* (Jn 12,32). Car la croix n'est pas simplement un gibet sur lequel un homme est mort. Elle est le moyen d'accéder à une condition où tout mal est dépassé.

Pour un croyant, accueillir la croix, ce n'est pas se charger d'un fardeau supplémentaire; c'est donner un sens au fardeau qui est déjà là. La croix n'est pas un poids qui nous opprime; c'est un tremplin pour accéder à la liberté et à la joie.

N'imposons la croix à personne, mais essayons d'en voir le véritable sens et de le faire voir en témoignant de l'espérance qu'elle suscite en nos cœurs.

Où est l'imagination?

J'ENTENDAIS récemment une animatrice bien connue de la radio dire, à la blague j'espère, qu'aimer la même personne toute sa vie, c'est un manque d'imagination.

Il me semble, au contraire, que c'est lorsqu'on manque d'imagination qu'on sent le besoin de chercher ailleurs. Les couples qui durent ont besoin de beaucoup d'imagination pour s'inventer du nouveau dans lequel ils vont découvrir mutuellement les richesses de leur personnalité. «Il faut se marier à tous les mois de mai», chantait naguère Chantal Paris.

Mais la mode n'est plus à la durée ni aux engagements à long terme. On vit dans le provisoire. Les mentalités finissent par en être affectées.

On hésite à s'engager dans les projets à long terme parce que l'avenir est incertain, imprévisible. C'est particulièrement vrai quand il s'agit du projet le plus important d'une existence: s'engager dans la vie de couple. Pour cette raison, j'admire les gens qui se marient et disent ainsi devant la société et devant l'Église: «Nous voulons être mari et femme pour la vie, nous vous demandons d'en prendre note et de nous aider dans notre projet.»

Ce projet, la société va-t-elle les aider à le réaliser? Va-t-elle leur offrir la sécurité d'emploi, mettre en place des lois qui favorisent le couple et la famille, être présente quand ils auront des obstacles à surmonter sur leur chemin?

Mais le pire manque, c'est la mentalité qui tend à ne plus reconnaître la valeur d'un amour qui dure, de la fidélité où il se renouvelle sans cesse et de l'engagement du mariage, où on se place résolument sur ce chemin.

Avez-vous remarqué ce qu'on lit et ce qu'on entend de plus en plus? On ne parle pas d'époux et d'épouse, de conjoints, même si c'est le cas. Désormais, ce sont des compagnons et des compagnes qu'on présente, dans ces termes génériques qui couvrent toutes les situations.

Je comprends qu'on n'a pas à juger les gens, à les classer. Il faut respecter leur choix de vie. Nous vivons dans une société libre. Mais justement, parce que les choix de chacun doivent être respectés quand ils ne nuisent pas aux autres, pourquoi devrait-on être gêné de se présenter comme un couple engagé, stable, fécond et fidèle? Dans notre société, ce n'est pas un manque d'imagination, mais une réussite dont on peut être fier et pour laquelle on doit remercier Celui qui est Amour et nous offre à le partager.

Que signifie attendre un Sauveur aujourd'hui?

UN SAUVEUR? Pour nous sauver de quoi? Ou de qui? Il est venu il y a deux mille ans. Il a vécu parmi les siens, il est mort, il est redevenu vivant et il est avec nous jusqu'à la fin des temps, comme il l'a promis.

Mais nous attendons son retour, c'est-à-dire qu'il se manifeste toujours davantage, à mesure que nous l'accueillons et que nous entrons dans son projet. Ce projet, c'est que l'humanité se laisse guider par lui et transformer par son Esprit afin de partager la joie qui est la sienne. *« Gloire à Dieu, paix aux humains. »* La gloire de Dieu, c'est que ses enfants, les humains, soient heureux.

Le Sauveur nous arrive avec cette Bonne Nouvelle. Il est lui-même la Bonne Nouvelle.

Mais qu'avons-nous besoin d'un Sauveur? Cette question, on l'entend parfois. Les gens qui la posent ne sont pas dépourvus de raison, d'intelligence, ni même de foi. Tout dépend de ce qu'on entend par le salut.

Pas besoin d'un Sauveur? Alors tout va bien dans l'humanité? Nous vivons partout dans la justice, l'harmonie et la paix? Les humains se partagent tous les biens spirituels, culturels et matériels? C'est la parfaite égalité des chances? Les gens s'aiment et font tout leur possible pour se rendre mutuellement heureux?

Elle est rendue là, notre humanité? Nous n'avons besoin de personne pour nous mettre sur ce chemin du bonheur, pour réaménager ensemble «ce jardin qu'on appelait la Terre» (Moustaki)?

Nous sommes capables de nous arranger tout seuls? De nous libérer de l'égoïsme, de l'enfermement sur nous-mêmes, des peurs que nous nous créons, de l'observance servile de la loi? Nous nous arrangeons bien avec la mort? Nous n'avons pas de problèmes pour ce qui peut survenir après? Tout le monde a une idée claire et satisfaisante sur le sens de la vie?

Si c'est ça, l'humanité actuelle, je comprends qu'il n'y a pas à attendre un salut venu d'ailleurs ni besoin de nous engager pour l'accueillir et y collaborer. Mais, de fait…

Le pire manque, c'est de penser qu'on n'a pas besoin d'être sauvé, relevé; c'est être satisfait de soi-même et de la situation. La première chose à faire pour notre Sauveur, c'est de nous réveiller, de nous rendre conscients de ce qu'il nous manque en redécouvrant ce qu'il nous a déjà apporté.

L'Internet, nous y sommes !

OUI, JE SUIS sur l'Internet. Et ça, depuis longtemps. J'étais sur l'Internet même avant que le mot ne fût inventé. Bien longtemps avant moi, des gens l'étaient aussi. Ces gens sont nombreux, même innombrables. Je suis sur leur réseau et je communique avec eux par-dessus l'espace et même le temps.

Vous l'avez deviné, je gage ? Il s'agit de l'Internet de la prière, de la foi, de ce qu'on appelle la communion des saints.

Dans la prière, nous entrons en contact avec tous les priants. C'est vrai chaque fois que nous prions. C'est plus perceptible lorsque nous prions en Église et avec les mots que l'Église met sur nos lèvres.

Lorsque nous prions avec le texte des psaumes, nous rejoignons la multitude des croyants qui les ont chantés, déjà avant Jésus-Christ, et qui les chantent toujours dans les églises et les monastères ou les récitent de diverses façons, seuls ou en communauté.

Nous unissons ainsi notre voix à celle du Christ lui-même, qui a prié avec le texte des psaumes. La mère de Dieu, elle aussi, a prié ainsi : son *Magnificat* est un « montage » d'extraits de psaumes et d'autres livres de l'Ancien Testament. Par les psaumes et les autres écrits de la Bible, nous unissons notre prière à celle de nos frères et sœurs de religion juive qui ont gardé les mêmes paroles pour s'adresser à Dieu.

Nous pouvons prier dans nos propres mots jaillis de la sincérité de notre cœur et en lien avec ce que nous vivons. C'est bon de prier ainsi. Nous y demeurons quand même unis aux autres priants. Mais, avec les textes que nous propose l'Église chaque jour, ce lien est plus explicite. Et ces textes élargissent notre prière à la dimension de l'humanité et du cœur même de Dieu. Nous y retrouvons, d'ailleurs, l'expression de nos sentiments, de nos besoins et de nos préoccupations. Car rien n'est plus humain que la Parole de Dieu, *« qui sait ce qu'il y a dans le cœur de l'être humain »* (Jn 2,25) et la tradition de l'Église, «experte en humanité» (Paul VI).

Ce qui nous relie les uns aux autres en réseau, c'est plus qu'une quincaillerie complexe, d'ailleurs admirable. Ce n'est pas quelque chose mais Quelqu'un, le Seigneur, Esprit vivifiant présent en chacun et en tous. C'est lui qui nous relie les uns aux autres par-dessus le temps et l'espace. Notre capteur, c'est la foi et les dons qui l'accompagnent.

Vous ne pensiez pas être autant à jour, sur Internet.

Les journées mondiales des malades

UNE SOCIÉTÉ montre son niveau de civilisation par la façon dont elle traite les petits, les pauvres, les vieillards et les malades. La société, c'est nous. Ce qu'elle offrira à toutes ces personnes sans défense est le reflet des valeurs, des convictions que nous portons dans notre cœur.

Une journée des malades est une occasion de faire le point sur le sujet. Cessons de courir après le travail ou les plaisirs et regardons un peu les personnes que la maladie a arrêtées. Portons aussi notre regard vers tout le monde de la santé qui les entoure de ses soins.

Nos malades ont besoin de notre attention, de notre affection, de notre encouragement. Le personnel de la santé a besoin de notre appui et il a droit à notre reconnaissance.

Il y a là un terrain d'évangélisation qui nous interpelle. Évangéliser: le mot signifie «apporter une bonne nouvelle». Pour les malades, cette bonne nouvelle, c'est d'abord des soins attentifs, des remèdes qui guérissent ou soulagent. C'est une visite, une présence aimée, de la tendresse exprimée. C'est un accompagnement qui aide à traverser l'épreuve, à accepter parfois l'inévitable.

C'est, à travers tout cela, faire la découverte que la joie est quand même possible au bout de ce voyage et même au long du chemin.

C'est apprendre que la maladie n'est pas une malédiction ni une punition. Elle n'est pas non plus un cadeau de Dieu. Aucun mal ne peut venir de Dieu. Ce que Dieu nous donne dans la maladie, c'est sa compassion, son aide et sa grâce pour la traverser avec courage, en faire une occasion de grandir intérieurement et un chemin vers la joie.

Le Seigneur ne nous donne pas des raisons pour expliquer la souffrance. Il est entré dedans avec nous et pour nous. Par sa présence, en particulier dans le sacrement des malades, il se fait leur compagnon pour les réconforter, les guérir parfois et leur communiquer sa paix.

Les malades sont eux-mêmes pour nous Bonne Nouvelle. Ils sont souvent pour nous des exemples de courage et de sérénité. Ils nous font voir ce qu'il y a de plus grand chez l'être humain. Détachés des choses qui passent, ils sont les prophètes des réalités qui demeurent.

Les malades sont des membres importants de notre société et de notre Église.

L'Enfant Jésus

Pourquoi fêtons-nous la naissance de Jésus en le regardant comme nouveau-né dans une crèche? Nous ne faisons pas cela avec les autres personnages historiques: nous n'évoquons pas la mémoire d'un nourrisson, mais le personnage parvenu à la maturité et dans le meilleur de son œuvre. Après tout, disait un théologien, ce n'est pas dans sa crèche que Jésus a sauvé le monde, mais sur la croix et dans sa résurrection.

Sans doute! Mais, dans le cas de Jésus, l'enfance prend une signification spéciale pour nous faire connaître le Dieu qu'il est venu nous révéler.

«Que sa puissance paraît bien en ce jour, malgré l'enfance de ce Dieu plein d'amour», chantons-nous au temps de Noël. La puissance de Dieu n'est pas dans le déploiement de la force qui fait peur et qui écrase. Elle est dans l'amour qui attire et sollicite notre amour. «Quand on n'a que l'amour à offrir en partage...» (Jacques Brel).

Un nouveau-né est totalement impuissant et dépendant. Pourtant, quelle force d'attrait n'a-t-il pas sur ses parents et tout son entourage!

Si on est capable de voir Dieu dans un nourrisson, on est dans la bonne voie de rencontrer Celui que Jésus-Christ est venu nous révéler. *«Qui m'a vu a vu le Père»* (Jn 14,9). Pourquoi ne serait-ce pas vrai à toutes les étapes de la vie de Jésus, même l'enfance?

D'ailleurs, pour entrer dans le Royaume de Dieu, participer à son projet, il faut se faire un cœur d'enfant (*cf.* Mt 18,3).

Se donner un cœur d'enfant, ce n'est pas devenir enfantin. C'est chercher la pleine maturité d'un adulte. C'est se dépouiller du personnage qu'on a fait de soi-même. C'est abandonner ses prétentions et se reconnaître totalement dépendant de la grâce de Dieu. C'est avoir dépassé le calcul de ses mérites, le bilan de ses vertus ou la peur d'un Dieu justicier. C'est s'abandonner dans les mains de Dieu et prendre le risque de se laisser aimer.

C'est être comme un enfant qui se jette dans les bras de ses parents avec une absolue confiance et un amour total et sans retenue. C'est ce que Jésus, comme tout enfant, a fait avec ses parents, image de son attitude envers le Père céleste.

Quelqu'un nous a rappelé par son témoignage cette attitude évangélique. Nous avons célébré en 1997 le centenaire de sa mort. Nous accueillons cette année son reliquaire. Elle a voulu s'appeler Thérèse de l'Enfant-Jésus pour témoigner de sa voie de l'enfance spirituelle. Mais dans son nom, elle a ajouté: «... et de la Sainte-Face» pour que la figure de Jésus se donnant pour nous nous dise que la voie de l'enfance spirituelle nous mène au cœur du mystère du Christ.

Notre joug

J'AI VU à Rome un ouvrier déménageur porter seul un piano sur son dos. Il s'agissait d'un costaud, bien sûr. Mais ce tour de force lui était possible grâce à un harnais spécial passé sur ses épaules et sur sa tête.

Nos ancêtres, qui devaient travailler «à bras» plus que nous, portaient ainsi des fardeaux grâce à un joug. Cette barre de bois qui s'adaptait à leurs épaules et derrière leur cou leur permettait de répartir la charge également des deux côtés. C'est ainsi, par exemple, que nos grands-pères recueillaient l'eau dans les érablières.

Le joug, au fond, est un instrument qui permet de porter plus commodément et plus efficacement les lourdes charges. Il était dévolu aux serviteurs, aux esclaves, aux pauvres, à des gens qui devaient gagner péniblement leur vie.

Il est ainsi devenu un symbole d'oppression et de vie pénible. *«De grands tracas ont été créés pour tout homme et un joug pesant est sur les fils d'Adam»* (Si 40,1). Les lois exigeantes et pointilleuses étaient comparées à des jougs et des fardeaux.

Le Dieu ami des pauvres et des opprimés nous dit: *«Le jeûne que je préfère [...], c'est que vous mettiez en pièces tous les jougs»* (Is 58,6). Le Seigneur Jésus, dans son parti pris pour la justice, veut sortir de leur pénible condition tous ceux qui ploient sous le joug.

Mais il ne l'enlève pas, il en change la nature. Avec lui, le joug devient un instrument qui aide à porter les fardeaux plus facilement. Il a porté le pire : la poutre de la croix sur laquelle on l'a cloué. Dans la résurrection, il a dominé ce qui nous écrase, il nous veut redressés avec lui (*cf.* Lc 21,28). Ressuscité et glorieux, il continue de compatir avec nos peines parce qu'il en a fait l'expérience (*cf.* Hé 4,15). Et il nous aide à porter notre fardeau.

« Venez à moi, vous tous qui peinez sous le poids du fardeau, et moi, je vous procurerai le repos. Prenez sur vous mon joug, devenez mes disciples, car je suis doux et humble de cœur, et vous trouverez le repos. Oui, mon joug est facile à porter et mon fardeau léger » (Mt 11,28-30).

Le Christ ressuscité, qui garde les stigmates de ses plaies et la mémoire de ce qu'il a souffert pour nous, nous aide à porter notre joug, il le rend léger ; il nous permet de porter plus que ce que nos forces humaines ne pourraient soulever.

Sa loi n'est pas un joug qui nous écraserait sous un tas d'interdictions et des prescriptions. C'est une loi de liberté (*cf.* Ga 5,13), une morale d'appel. Il nous invite à l'amour et met dans notre cœur le désir et la capacité de le suivre dans les exigences de l'Évangile.

Nous ne portons pas son joug. C'est son joug qui nous porte.

« Ne restez pas plantés là ! »

JÉSUS RESSUSCITÉ s'était montré plusieurs fois à ses disciples. Mais le moment était venu de n'être plus visible pour continuer d'être présent d'une autre manière.

« Ils le virent s'élever et disparaître à leurs yeux dans une nuée » (Ac 1,9). Comme ils étaient restés les yeux fixés vers le ciel, des messagers célestes les interpellèrent : «Ne restez pas plantés là les yeux fixés vers le ciel ! Allez à sa rencontre sur vos routes humaines, là où il est déjà présent à la manière de Dieu. Car il vous a dit : ‹ *Vous ne me verrez plus* ›, mais il a aussi dit : ‹ ***Je suis*** *avec vous tous les jours jusqu'à la fin du monde.* › »

« Tous les jours » : pas seulement dans les circonstances extraordinaires, les célébrations religieuses ou les moments de ferveur dans la prière. *« Tous les jours »* : dans la vie courante, dans toutes les occupations et toutes les situations.

Parce qu'il n'est plus limité par notre condition humaine comme il le fut jusqu'avant sa résurrection, le Seigneur peut être présent partout sans avoir à se déplacer ou à se diviser. Il s'agit d'une présence invisible mais tout à fait réelle.

Il est présent au milieu de nous lorsque nous sommes réunis en son nom, rassemblés dans la foi (*cf.* Mt 18,20).

Il est présent dans sa Parole. Lorsque nous lisons ou écoutons les Écritures, nous ne sommes pas seulement en contact avec un texte. C'est le Seigneur qui s'adresse à nous.

Il est présent dans ses sacrements, surtout l'eucharistie. *«Ceci est mon corps, ceci est mon sang. »*

Mais nous ne sommes pas toujours en train de célébrer les sacrements, de lire les Écritures ou de prier. Nous avons nos tâches et nos relations. Devant cette situation, le Seigneur nous dit : *«Ce que vous avez fait à mes frères et à mes sœurs, c'est à moi que vous l'avez fait»* (Mt 25,40). Il s'agit là aussi d'une présence réelle très importante. C'est là-dessus surtout que nos vies seront évaluées au dernier jour (*cf.* Mt 25,31-46).

Nous pouvons donc rencontrer le Seigneur dans la vie de tous les jours : dans la famille, dans le travail, dans toutes les rencontres. Si nous avons donné à d'autres de l'amour, de l'amitié, du respect, du dévouement, de l'aide, du partage, du pardon, le Seigneur le prend pour lui-même. Donc, il y est présent.

Pas besoin pour cela d'y penser tout le temps. Mais il faut se donner des moments de prière pour orienter sa vie dans ce sens. C'est pour cela, entre autres, qu'il y a le dimanche avec son repos et la messe. C'est une halte pour refaire nos forces et nous réorienter sur nos routes humaines où le Seigneur nous accompagne.

Il nous attend en Galilée

« *ALLEZ ANNONCER à mes frères qu'ils doivent se rendre en Galilée : c'est là qu'ils me verront* » (Mt 28,10). C'est le message que le Seigneur a confié aux saintes femmes à l'intention de ses disciples.

Il les précède en Galilée. C'est là qu'il les attend. La Galilée, c'est le pays de la plupart de ses disciples. C'est là qu'ils ont exercé leur métier, qu'ils ont leur famille, leur environnement humain, leurs racines.

Notre Galilée, où est-elle ? C'est bon de le savoir, car c'est là que le Seigneur nous attend nous aussi. Notre Galilée, c'est la vie de chacun de nous là où elle se passe.

Jésus-Christ est venu nous sauver : cela signifie qu'il veut nous aider à réussir notre existence, à trouver le chemin du bonheur, à donner à notre vie un sens qui répond à nos plus profondes aspirations.

Mais cela, il ne le fait pas seulement comme le planificateur d'une grande organisation. C'est avec chacun et chacune de nous qu'il veut cheminer comme un guide, un compagnon, un ami.

Notre pape Jean-Paul II l'a dit dès le début de son pastorat et c'est un enseignement qu'il nous répète souvent : Jésus-Christ s'intéresse à tout être humain « dans toute la réalité absolument unique de son être et de son action, de son intelligence et de sa volonté, de sa conscience et de son cœur » (encyclique *Le Rédempteur de l'homme*, n° 14).

La «Galilée» où Jésus attend chacun et chacune de nous pour nous aider, c'est notre vie de tous les jours, avec nos projets, nos soucis, nos épreuves et nos joies, nos échecs et nos réussites, nos amitiés, nos amours et nos brisures du cœur, etc.

Ce n'est pas ailleurs ou plus tard que Jésus nous offre le salut. C'est ici et maintenant, dans la vie concrète. La vie présente débouche sur l'existence future qui la couronne et lui donne un sens.

La vie future est déjà commencée. Elle n'est pas dans un ailleurs lointain et mystérieux, une étoile ou une planète au bout de notre monde immense. Le monde immense où le salut prend place, c'est notre cœur.

Notre cœur est un monde sans limites. Il est plus grand que l'univers visible, puisque celui-ci peut y prendre place quand nous le regardons ou y découvrons de nouveaux espaces.

Donner un sens à notre vie, c'est découvrir notre propre espace intérieur à mesure que nous l'emplissons d'un amour gratuit qui s'appelle l'amitié, le don de soi, la joie d'accueillir l'autre, le pardon, la réconciliation, etc., toutes ces manières d'être qui colorent notre vie quotidienne.

Le Seigneur attend notre invitation pour faire partie de notre intérieur, pour y mettre sa lumière et son amour. Il fait ainsi partie de notre rassemblement, il est, en nous, la force qui nous unit. Notre milieu de vie devient «Galilée» parce que c'est là qu'il nous attend.

La dévotion au Sacré-Cœur, toujours actuelle

•

UNE COURTE BIOGRAPHIE qui m'a été adressée récemment m'a rappelé le souvenir du père Victor Lelièvre, o. m. i.

Les personnes plus âgées se souviennent de ce prédicateur populaire des années 1930 à 1950, au langage direct et plein de drôleries, qui savait rassembler les foules et les tenir à l'écoute pendant des heures. Il était plus qu'un amuseur agréable. Sa prédication était l'Évangile pur et simple exprimé dans un langage approprié à la culture des gens qui l'écoutaient. Ceux-ci se retrouvaient dans ses paroles.

Mais surtout, il était un apôtre totalement voué à faire connaître le Seigneur de l'Évangile. Il a été notre grand apôtre du Sacré-Cœur.

La dévotion au Sacré-Cœur a beaucoup marqué l'époque qui a précédé notre «Révolution tranquille». Cette dévotion nous a protégés du jansénisme en insistant sur l'amour et la miséricorde manifestés en Jésus-Christ. Elle a mis notre foi en contact avec Dieu devenu un être humain dans l'Incarnation. Sans le Sacré-Cœur, Dieu serait demeuré pour notre population croyante «le bon Dieu», un être parfait et bon, mais loin de nous. Le Dieu incarné se serait limité à être le petit Jésus de Noël.

Mais avec le Sacré-Cœur, nous avons été en contact avec un Jésus-Christ adulte qui nous a montré son amour à travers sa prédication et ce qu'il a accepté de souffrir pour nous sauver.

Le Sacré-Cœur, c'est l'amour de Dieu incarné et exprimé dans un cœur humain, le cœur le plus humain qui ait jamais existé, capable de porter un amour *« qui surpasse toute connaissance »* (Ép 3,19).

Le cœur parle au cœur. Le père Lelièvre a su rejoindre celui du Christ et, avec celui-ci, rejoindre le cœur de milliers et de milliers de ses concitoyens.

La fête du Sacré-Cœur, qui existe toujours, nous propose un contact cœur à cœur avec Celui que l'Esprit d'incarnation nous a donné pour nous dire en termes humains de chair et de sang la tendresse et la miséricorde de notre Père céleste.

Laisse mes outils tranquilles

J'ENTENDAIS NAGUÈRE, à une émission importante de télévision, une bachelière en droit soutenir que les sacres font partie de notre culture et qu'on devrait, à l'école, enseigner comment s'en servir.

Ils sont là, c'est un fait, disait-elle. Ils nous différencient. Nous devons les intégrer dans notre culture, apprendre à les utiliser correctement, comme tous les autres mots de notre vocabulaire. C'est à peu près un résumé de ses propos.

Qu'est-ce qu'il nous faut entendre! Tant qu'à faire, pourquoi ne pas apprendre à sacrer à l'imparfait du subjonctif? Sacrer est une habitude, un fait. Alors on apprend à le faire le mieux possible? Un petit gars se met les doigts dans le nez. C'est un fait. Alors on lui apprend à le faire avec élégance?

Nous sommes connus comme un peuple de sacreurs. Mais ce n'est pas tout le monde qui se laisse aller à cette déplorable manie. Il y a là une pauvreté de langage, un manque de vocabulaire et de modes d'expression pour dire ses sentiments. Plus on est scolarisé, moins on devrait sentir le besoin de recourir à ce langage.

Dans une société très religieuse, les mots de la foi et du culte représentaient un plus. Ces mots nous étaient familiers. Il était compréhensible que ceux qui manquaient de vocabulaire aient recours à ces mots pour «en mettre plus» dans l'expression de leurs sentiments. Assez souvent d'ailleurs, on les changeait, par respect pour la réalité sacrée : «Tabarnique, batince...»

À entendre parler certaines gens, on se demande si notre société est sécularisée autant qu'on le dit.

Il est vrai que bien des sacreurs, surtout les jeunes, ne savent plus à quoi réfèrent les mots qu'ils emploient. Alors, pourquoi ça traîne encore dans le langage? Et l'école contribuerait à perpétuer et à répandre cette déplorable habitude?

Sacrer n'est pas innocent. Sans le savoir et sans le vouloir, souvent, on profane une réalité sacrée d'une façon qui est une insulte pour les croyants. Faudrait voir si, dans les autres religions, on laisse ainsi abuser du nom de Dieu et des réalités qui y réfèrent. *«Tu ne prononceras pas à tort le nom du Seigneur ton Dieu»* (Dt 5,11).

À un ouvrier qui sortait dans son discours tout ce qu'on peut trouver dans une église et sa sacristie, un curé disait : «Je ne vais pas fouiller dans ton coffre à outils, moi, alors laisse le mien tranquille!»

Un appel pour les jeunes

«LES JEUNES sont méchants et paresseux. Ils ne seront jamais comme autrefois et ne pourront jamais maintenir notre culture.»

Ce n'est pas hier que ce diagnostic sur la jeunesse a été lancé. On trouve ces paroles gravées sur un vase en céramique fabriqué à Babylone trois mille ans avant Jésus-Christ.

Les jugements négatifs sur la jeunesse sont aussi vieux que l'histoire humaine. Chaque génération qui arrive veut être différente, se faire une place. Elle dérange les aînés.

Sur ce point, les temps actuels sont comme ceux du passé. Nous oublions trop facilement ce que nous avons été dans notre jeunesse et comment nos aînés nous ont perçus.

On déplore l'absence des jeunes dans la vie publique et dans les pratiques de l'Église. Qu'est-ce qu'on fait après cette constatation? Se contenter de s'inquiéter, de critiquer? La situation nous interpelle comme membres de l'Église et comme citoyens.

Nous sommes invités à «dépasser notre premier regard sur les jeunes». Ils sont différents, ils ont parfois l'air de nous provoquer par leurs attitudes, leur façon de s'habiller, de se comporter en groupe. Ils le font souvent pour attirer notre attention, se faire une place. «Chaque jeune a sa propre beauté intérieure, qui attend d'être découverte. Les jeunes ont besoin de notre regard pour se sentir aimés, aimables et capables d'aimer», comme le regard du Christ a amené la Samaritaine, Zachée, Matthieu à connaître leur propre richesse intérieure (*cf. Message des évêques du Québec*, 1997).

Nous devons savoir reconnaître ce qu'ils font de bon, de généreux, et les encourager à poursuivre. Ils s'engagent dans divers réseaux d'ordre sportif, culturel et de bienfaisance. En Église, ils ont leurs groupes, comme la pastorale scolaire, la pastorale jeunesse en paroisse, l'ACLE, la JEC, SPV, jeunesse du monde, la Marche 2/3, le scoutisme... Si vous ne connaissez pas ces groupes, c'est le signe que ce que les jeunes accomplissent de bon n'est pas connu.

Comment rejoindre les jeunes, faire Église avec eux? Il faut leur permettre de bâtir eux-mêmes leurs projets, leur fournir des moyens, des locaux. Ils ont besoin de l'aide des adultes, mais pas pour inventer à leur place.

Les Journées mondiales de la jeunesse nous ont montré ce dont ils sont capables comme témoins de la foi chrétienne. Celles de Rome en l'an 2000 ont rassemblé plus d'un million d'entre eux. Déjà, ils sont lancés dans la préparation du rassemblement de Toronto, qui aura lieu en 2002.

Les jeunes portent des valeurs constructives. Ils apprécient l'authenticité, les gens dont le dire et le faire se ressemblent. Ils aspirent à la paix et à la fraternité universelle. D'aucuns vont donner du temps, des années même, aux pauvres du tiers monde. Ils sont solidaires. Ils savent écouter et compatir aux souffrances de leurs pairs. Quand ils en ont l'occasion, ils sont heureux de rendre service, surtout aux vieilles personnes. Ils sont soucieux de l'écologie, qui est une condition de leur avenir. Ils sont dynamiques, créateurs, etc.

Avec les jeunes, pas sans eux ou à leur place, nous avons de nouveaux chemins à inventer.

La promesse des prémices

E N RÉCOLTANT les premières tomates de son jardin, un horticulteur me disait: «Elles sont belles. Ce sera une bonne année.»

On appelle prémices les premiers fruits de la récolte. Mais le mot signifie plus que «premiers». Il suggère aussi une promesse, une suite abondante de fruits.

Un fruit, ce n'est pas une chose qu'on fabrique. C'est le résultat de notre collaboration avec les forces et les ressources de la nature. La Bible emploie le mot pour désigner ce que l'amour de Dieu accomplit dans l'humanité, avec notre acceptation et notre collaboration. Ce sont les fruits de l'Esprit.

Le premier fruit de l'amour de Dieu dans notre monde, celui qui constitue les prémices de notre salut, c'est Jésus-Christ, «*conçu du Saint-Esprit, né de la Vierge Marie*». Il est arrivé à sa maturité dans sa résurrection. Il a traversé toutes nos misères et, désormais vivant et immortel, il travaille par son Esprit à la récolte dont nous faisons partie.

Il nous présente aussi sa mère comme prémices de ce que nous sommes appelés à devenir. Dans le mystère de son Assomption, elle partage avec lui sa vie immortelle et sa joie. Elle est pour nous une promesse, un signe pour notre espérance. Elle est une promesse active. Elle nous aide à accueillir l'Esprit.

Son dernier mot dans l'Évangile s'adresse aux serviteurs des noces de Cana qui ont préparé l'eau que Jésus a changée en vin : *«Faites tout ce qu'il vous dira»* (Jn 2,6). Elle ne dit jamais autre chose. Et cela suffit. Que pouvons-nous faire de mieux et de plus que ce que le Seigneur nous dit?

Le Seigneur nous parle dans les Écritures, surtout lorsque nous les écoutons réunis en communautés de prière. Il parle aussi à notre cœur par la présence de son Esprit. Il s'agit d'une parole active qui nous éclaire, nous dirige, nous encourage, nous aide à agir et nous change.

La Vierge Marie est le premier être simplement humain arrivé au terme du destin que l'amour de Dieu offre à nous tous, ses enfants.

Comme elle, écoutons la Parole de Jésus-Christ et laissons-nous guider par l'Esprit pour porter des fruits d'amour, de douceur, de constance et de maîtrise de soi dans le beau jardin que le Père éternel a rêvé pour l'humanité.

La faim des enfants

J'AI REGARDÉ un bon moment dans une revue missionnaire une photo qui m'a remué : deux petits garçons de
cinq ou six ans fouillant dans un dépotoir d'une grande
ville du Brésil pour trouver à manger.

Des enfants qui ont faim. Il ne s'agit plus de statistiques
ou de pourcentages qui risquent de nous laisser avec la
froideur des chiffres. La figure d'un enfant qui a faim, ça
parle plus que la vérité des statistiques. Qui peut rester
insensible à une telle interpellation ?

Les enfants qui ont faim ne sont pas seulement dans ce
qu'on appelle le tiers monde. On en voit dans nos écoles
qui ont la faim imprimée dans le visage. Pauvreté des
parents ? Négligence ? Quand un enfant a faim, on ne se
pose pas de questions, on essaie de trouver des solutions.

Les pouvoirs publics ne devraient pas hésiter à investir
là où il le faut pour que les enfants puissent être alimentés.
C'est leur santé qui est en jeu, leur progrès à l'école et leur
avenir. Ils remettront à la société, multiplié par dix, ce
qu'on leur a donné ou ce qui leur a manqué. Le petit
déjeuner ou le berlingot de lait de la pause-santé sont les
meilleurs investissements qu'on puisse faire. On ne devrait
jamais les remettre en question.

Il faut encourager et soutenir les organismes qui aident
les familles démunies à alimenter les enfants. Je n'en

nomme pas, faute de pouvoir les indiquer tous, car ils sont tous importants dans mon estime.

Dans les yeux des enfants qui ont faim, c'est le Christ qui nous regarde.

Communiquer est plus
qu'une affaire de technologies

•

DU 25 AU 29 MARS 1998, j'ai pris part à Denver, au Colorado, à une rencontre internationale sur les médias modernes de communication. Le thème était : «Les nouvelles technologies de communication et la personne humaine». La conférence regroupait des évêques d'Amérique du Nord, dont six Canadiens, et d'Amérique latine et des représentants du Conseil pontifical pour les communications sociales.

De grands spécialistes sont venus nous montrer les merveilleuses possibilités que les nouvelles technologies mettent à notre disposition. C'est presque sans limites. Nous pouvons instantanément entrer en contact avec des gens à l'autre bout du monde, échanger des paroles, des textes écrits, des images. Et ces technologies s'améliorent sans cesse. Ce qui était le dernier cri il y a moins de cinq ans est maintenant dépassé. On qualifie de dinosaures des appareils dont la fabrication ne remonte qu'à quelques années et qui sont maintenant largement dépassés par des instruments miniaturisés, offrant beaucoup plus de possibilités.

La communication est-elle pour autant un avenir merveilleux ouvert à tous?

Dans la session de Denver, on nous a bien fait voir la différence qui existe entre les moyens de communication et la communication clle-mêmc. Les moyens de communications ont beau faciliter merveilleusement celles-ci, ils ne fournissent pas ce qui fait le cœur de la communication. La technologie permet le contact. Une fois le contact établi, c'est la personne qui communique ses informations, ses pensées, ses vouloirs, ses sentiments. Des personnes peuvent passer des années ensemble sans vraiment communiquer. Communiquer, c'est faire passer ce qu'on porte dans son intérieur à l'intérieur d'autres personnes, grâce à des moyens que sont les paroles, les signes, les gestes corporels. Les technologies modernes donnent une nouvelle portée à ces signes, que je puis transmettre instantanément à quelqu'un jusqu'à l'autre bout du monde.

Acceptons et utilisons les nouvelles technologies de communication. Tirons le meilleur parti de ces merveilleux moyens. Mais développons en même temps le souci de communiquer vraiment.

On peut se parler sans se comprendre et sans s'entendre. Bien des échecs viennent de là dans nos projets. On n'accueille pas ce que l'autre dit ou propose. On se ferme à l'autre, on discute, on réfute. L'exemple biblique est le désarroi des constructeurs de la tour de Babel, qui abandonnent l'entreprise parce qu'ils ne se comprennent plus (Gn 11,1-9).

Dans notre foi chrétienne, nous pouvons avoir recours au grand communicateur qu'est l'Esprit Saint. Le don des langues de la Pentecôte est comme la correction de ce qui est arrivé à Babel. Le don des langues signifie que, avec l'Esprit Saint, il n'y a plus de barrière qui soit infranchissable quand on veut vraiment communiquer. L'Esprit nous fait entrer en communication d'une manière spécialement profonde qu'on appelle la communion. Le même Esprit présent en tous fait que nous sommes ensemble comme n'ayant qu'un cœur et qu'une âme.

L'Esprit de la Pentecôte aux langues de feu et aux langages multiples est le grand maître de la communication.

Endimanchons notre cœur

DIMANCHE est un mot magique, il me semble. Il évoque le repos et la fête. C'est une porte ouverte sur quelque chose de différent dans la routine des jours. Le dimanche, on met ses plus beaux habits, on s'offre de meilleurs repas, on prend le temps de manger ensemble, en famille, entre amis.

Pourquoi, depuis vingt siècles, souligne-t-on ainsi cette journée-là ? Le dimanche est une fête chrétienne. C'est la célébration hebdomadaire de la résurrection du Seigneur. Il est ressuscité en ce premier jour de la semaine. Dès les débuts de l'Église, les disciples de Jésus ont pris l'habitude de se réunir tous les dimanches pour faire mémoire du Seigneur et revivre la joie du premier matin de Pâques. Le Christ est mort pour nous, il est ressuscité, il est vivant, il est avec nous jusqu'à la fin des temps !

Dimanche est le jour du Seigneur : *Dies Domini*. Cette expression latine est à l'origine de notre mot français «dimanche». En anglais, on a *Sunday*, le jour du soleil. Mais ce mot d'origine profane prend un sens chrétien pour ceux qui voient le Seigneur ressuscité comme le soleil qui éclaire notre existence.

Au début, les chrétiens devaient célébrer l'eucharistie du dimanche avant le lever du soleil, car l'autorité civile faisait du dimanche un jour comme les autres et même défendait la pratique chrétienne sous peine de mort.

Avec la conversion de l'empereur romain, le dimanche s'est imposé même sur le plan civil. On en a fait un jour de repos dans la mentalité biblique du sabbat et pour donner aux esclaves et aux serviteurs une chance d'avoir une journée à eux.

Pendant des siècles, les chrétiens ont célébré le dimanche, entraînant toute la population de leurs pays dans l'observance de ce jour de repos et de fête.

Malheureusement, la vie moderne tend de plus en plus à faire du dimanche une journée comme les autres. C'est un recul sur le plan religieux, mais c'est aussi une perte sur le plan humain.

Nous avons besoin d'endimancher notre cœur, de nous accorder du repos, de la gratuité, du temps pour reprendre contact avec nous-mêmes et pour réfléchir un peu au sens de la vie.

Notre pape Jean-Paul II a rappelé tout cela dans une belle lettre apostolique *Dies Domini, Le Jour du Seigneur*.

Table des matières

AGMV Marquis

MEMBRE DE SCABRINI MEDIA

Québec, Canada
2001